ちくま新書

社会主義前夜——サ

リエ

中嶋洋平
Nakashima Yohei

1688

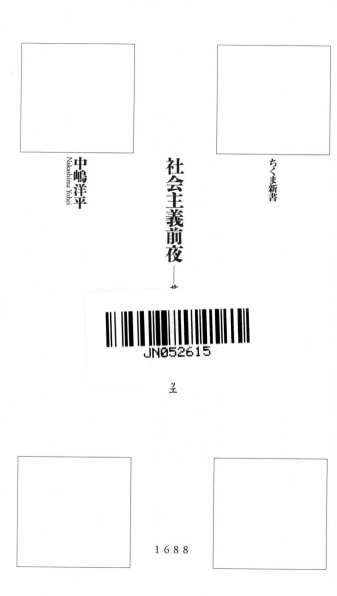

社会主義前夜――サン＝シモン、オーウェン、フーリエ【目次】

はじめに

†プロローグ

一七八三年夏。

クロード＝アンリ・ド・サン＝シモン（一七六〇～一八二五年）はフランスの首都パリにある大きな屋敷の庭で、空を眺めていた。ロバート・オーウェン（一七七一～一八五八年）はイングランド中東部のスタンフォードの奉公先で、シャルル・フーリエ（一七七二～一八三七年）はフランス東部のブザンソンの自宅で、まったく同じヨーロッパの空を眺めていた。

空は晴れてはいるのだが、いつものような高緯度地域らしい深くて濃い鮮やかな紺碧の色ではなく、どこか鈍色がかった青というか、なんとも言えない不安感に駆られる不思議な色をしていた。

空に紺碧の色をもたらしてくれる太陽の光がくすんでいるからである。そして、太陽もまた錆びた土のような色に染まっているではないか……。

アイスランドの火山が突如として噴火したのである。

噴火とともに放出された大量の火山灰はやがてヨーロッパ全土を覆いつくし、それから数年間にわたってヨーロッパに異常気象をもたらすことになる。そして、農作物の不作とそれにともなう食料不足により、人口の大多数を占める平民においては餓死するものが出るなど、ただでさえ苦しい生活がますます苦しくなっていく。

飢えに苦しむ貧困層を中心とした平民たちは口々に叫ぶ。

「パンをよこせ！」

日々一刻一刻と不安感を増していく日常。

富を持った封建貴族たちも上層市民たちもなにもしようとしない。本来なにかをなすべき政府でさえも、なにもしようとしない。これまでだって彼らは平民たちの生活苦のためになにもやってこなかったのだから、今度もなにもしなかったからといって不思議ではないものの、現状に不満を抱えてきた多くの人びとはきっとこう思ったはずである。

「なにかがおかしい……変えなければ……」
このような一八世紀末の変動を生き抜いたサン＝シモン、オーウェン、フーリエは、やがて一九世紀という新しい時代のために変えなければならないものを変えようと行動していく。そして、この三者によって「社会主義（socialism）」と呼ばれる思想系譜が生まれるのである。

†空想的社会主義

サン＝シモン、オーウェン、フーリエは「空想的社会主義（utopian socialism）」という表現でよく知られている。世界史や現代社会、あるいは公民といった科目の教科書において、彼らは空想的社会主義の代表的人物として挙げられ続けている。

また、教科書に登場する対義語のような表現は科学的社会主義（scientific socialism）、あるいは共産主義（communism）で、カール・マルクス（一八一八〜八三年）とフリードリヒ・エンゲルス（一八二〇〜九五年）によって構想された、となっている。

社会主義にも「空想的」と「科学的」の二つがあるというわけだが、字面だけを見て考えるなら、ふらふらとして地に足のつかない「空想的」に対して、しっかりと構築された理論を持った「科学的」というイメージが湧いてくるだろう。あるいは、「空想的」な状態で生まれた未熟な「社会主義」が「科学的」なものに成長した、というストーリーが頭の中に描かれるだろう。

ところが、サン＝シモンもオーウェンもフーリエも、社会主義を打ち立てようとか、社会主義のために戦おうとか、そんなことをまったく考えもしていなかった。そもそも、三者は同じ時代を生きていたというだけであって、社会主義のために一緒に仕事をしたという事実はなかったのである。

実のところ、社会主義という表現とは、サン＝シモン、オーウェン、フーリエの周辺の人びとや、三者よりも後の時代の人びとがそう呼ぶようになったことで生まれたにすぎない。

空想的という言葉もまた、科学的社会主義者とも共産主義者とも名乗ったマルクスとエンゲルスがそのように表現したのである。サン＝シモンもオーウェンもフーリエも、自分たちの構想を空想的であると考えていたわけではない。

本書では、社会主義という思想系譜が誕生する前夜、まさに「社会主義前夜」において、当時の政治や経済、社会の状況を時間に沿って追いながら、サン＝シモン、オーウェン、フーリエが何を考え、どのように行動し、何を目指したのかについて探究していきたい。そして、彼らの構想を紹介することで、読者に対して現代世界に積み重なった問題をめぐる「考え方の考え方」を提供していきたい。

†科学的・空想的

一九世紀初頭にサン＝シモン、オーウェン、フーリエが思想活動や実践活動を開始したことで、社会主義という思想系譜が生まれたことは紛れもない事実である。そして、マルクスとエンゲルスは先駆者たちの構想を批判的に検討しながら、科学的社会主義とも共産主義ともマルクス主義とも呼ばれる自分たちの構想を確立していった。

「科学的」という日本語の表現は、英語ならばscientific、フランス語ならばscientifique、そしてドイツ語ならばwissenschaftlichとなる。日本語としてもっとわかりやすいニュアンスを持った表現を選ぶとすれば、「学術的」とか「学問的」とか、そういったものもありえる。

マルクスとエンゲルスが自分たちの構想について強調したかったのは、きちんと学問的に論理づけて理解できる社会主義への実現可能な道筋という点であった。マルクスとエンゲルスにとってみれば、サン＝シモン、オーウェン、フーリエは単なる自分たちの理想にすぎないものを押しつけていた点で「空想的」で、彼らが構想する方法では社会主義社会を実現するのは不可能に思えたのである。

このような「空想的」という表現は、イギリスの思想家トマス・モア（一四七八〜一五三五年）の「ユートピア（utopia）」という造語を語源とする。「ギリシャ語の否定詞である ou」と「場所を意味する topos」から成立しており、「どこにも存在しない場所」という意味になる。

こうして生まれた英語の utopian、フランス語の utopique、そしてドイツ語の utopisch はしばしば「空想的」や「夢想的」と翻訳されている。とはいえ、「どこにも存在しない場所」というユートピアのもともとの意味も踏まえながら、utopian／utopique／utopisch を他の日本語表現に置きかえるのならば、「実現不可能な」といったものもありえるだろう。実現不可能な社会はどこにも存在しないのだから。

もっとも、こうした三者の思想のあり方、あるいは行動について、マルクスとエンゲルスは否定しているわけではなく、社会主義のさきがけとして評価している。三者の思想や行動があったからこそ、社会主義という思想系譜が生まれたからである。しかし、それらを「空想的」や「実現不可能な」を意味する表現で形容することで、マルクスとエンゲルスは自分たちの「科学的社会主義」を社会主義社会の実現を可能にするもっと優れた思想だと示した。

さて、「空想的」というマルクスとエンゲルスによる評価について検討するのは、ひとまず後にするとして、そもそもなぜサン＝シモン、オーウェン、フーリエの思想や行動を社会主義と呼ぶことができるのかについてかんたんに触れてみたい。つまり、社会主義とはなんなのかを少しばかり考察してみたいのである。

とはいえ、実のところ社会主義とは相当に多義的な言葉であるため、これという確定的な定義を記述することは極めて困難である。社会主義にどのような定義を与えるかによって、その人物の政治的立場が明らかになってしまうほどである。それゆえ、あくまでもサン＝シモン、オーウェン、フーリエの思想と行動を探究するにあたって、最低限念頭に置くべきであると考えられる社会主義の定義を記述してみよう。

†民主主義の不完全、資本主義の病理

「社会的なもの（social）」という単語に対して、人びとの主張や行動の指針としての原則

や思想を意味する「主義（ism）」という単語が接続しているのだから、まずは「社会主義（socialism）」とは、人びとの主張や行動において「社会（society）」という存在を念頭に置かなければならないとする原則や思想であると言ってよいだろう。

ここにさまざまな観点がつけ加えられることで、社会主義は多義的になっていく。

このような社会主義という思想系譜が生まれたころ、つまり今から約二二〇年前の一九世紀初頭のヨーロッパは、歴史的な大転換を経験していた。

それは民主主義と資本主義の到来であった。政治的にはフランス革命という市民革命が発生した後、その影響によって周辺諸国家でも革命が引き起こされるなど、自由と平等を基礎とする民主主義が到来するとともに、経済的には産業の大規模な発展という産業革命をとおして、資本主義が到来したのである。政治の変動と経済の変動は、互いにその原因となり、あるいはその結果となり、ヨーロッパを新たな歴史的パラダイムに導き続けた。

民主主義が発展する中で政治的自由と政治的平等が確立していったとしても、経済的自由を基礎とする資本主義においては、〝富むもの〟と〝富まざるもの〟の間の格差、いいかえれば「貧富の格差」や「経済的不平等」が必ず生じるものである。産業革命という大規模な産業発展が始まると、さらなる富と利益を手にした富裕層と飢えに苦しむ貧困層、あるいは経営にたずさわり、資産を持ち、社会に対し大きな発言力を確保する「資本家（ブルジョワジー）」と使役されるだけの不自由な「労働者（プロレタリアート）」の間の格差が如何ともし難いものとなった。

このような二つの身分の格差という問題を抱えた社会が出現したのである。市民革命が自由と平等という価値の確立を目指したにもかかわらず、産業革命が不平等を生み出すともに、労働者から自由を奪うという矛盾をもたらした。そのような矛盾こそが二一世紀においてなおも社会の根幹を成している。現実の生活における貧富の格差という資本主義の病理を前にして、一人一票の平等を基礎とする民主主義は不完全なままであると言えよう。

では、二つの身分の貧富の格差を中心として、民主主義の不完全と資本主義の病理という問題をどのようにして解決することができるのであろうか。つまり、資本家と労働者の分断を許容して二つの身分を固定化することも、一方による一方への抑圧や搾取をそのままにすることも拒否して、社会でともに生きる一員として両者を融和させるためにはどのようにすればよいのだろうか。

サン＝シモン、オーウェン、フーリエは、一九世紀初頭の歴史の大転換の中でまさにこのような問題意識に拠って立っていた。そして、彼らは日々の生活を営みながら、さまざまな問題を抱える社会をなんとかしようとしたのである。

こうした点を踏まえながら誤解を恐れずに今日的な表現を使うなら、サン＝シモン、オーウェン、フーリエは〝社会〟企業家や〝社会〟プランナーのような人びとだったと言えよう。

工場経営者であったオーウェンの場合、資本家と労働者の間の貧富の格差や労働者の悲惨な生活を目の当たりにしながら、実際に企業経営の実践をとおして労働者の境遇の改善を進めた。そのようにして、資本主義社会の矛盾を解消しようと行動した点で、社会企業家のさきがけのような人物であった。

また、サン＝シモンとフーリエの場合、それぞれの生まれ育った境遇は大きく異なるが、両者ともに上述のような社会問題を解決するために、著作の刊行という思想活動をとおして社会のあるべき理想像とその実現方法を広く世の中に提示していった点で、社会プランナーと呼んでよいような人物であった。フーリエが多様性を持った人間の包摂と共生を可能にする協同体を構想する一方で、サン＝シモンは資本家と労働者の融和を実現しようと、自由な産業活動をとおして生まれる新しい宗教のあり方を構想した。

まさに、自分たちの生きる社会をなんとかしたいという強い思いを持ち、その思想と行動において社会という存在を念頭に置き続け、それぞれの立場から社会のあるべき姿についての構想を提示し続けたという意味で、サン＝シモン、オーウェン、フーリエにとって社会主義者という呼び名は実にふさわしいのである。

ところが、サン＝シモン、オーウェン、フーリエによって社会主義という思想系譜が生まれた後、この三者の本来的な思想と行動とは必ずしも一致するわけでないままに社会主義が大きく発展していった。したがって、三者に近い立場から社会主義を捉えるのか、三者を「空想的」と形容したマルクスとエンゲルスに近い立場から社会主義を捉えるのか、あるいは他の思想家の立場から社会主義を捉えるのかによって、社会主義の解釈は大きく変化する。社会主義は実に多義的なものとなってしまったのである。

だからこそ、「空想的」という評価についてはそうあるべきものとして盲目的に受け入れるのではなく、批判的に捉え直す必要があろう。

また、三者が同じ時代を生きていたとはいっても、上述のように社会主義のために一緒に仕事をしたということはない。そもそも三者の社会主義と呼びうる構想も具体的な点ではそれぞれで大きく異なるのである。

†社会主義という言葉の誕生

サン＝シモン、オーウェン、フーリエの思想と行動を「社会主義」という表現で一つにまとめたのは、さきほどのような一九世紀の大転換の中で市井で働く人たちだった。

彼らは、貧富の格差や労働者の悲惨な境遇といったさまざまな矛盾に直面した。中には飢えや貧困に苦しんだ経験を持つものもいた。だからこそ、サン＝シモン、オーウェン、フーリエの思想と行動に共鳴し、それらを社会主義という表現で一つにまとめることで、社会を変革するための指針を作りあげようとしたのである。また、かつての一八世紀のアメリカ独立戦争（独立革命）やフランス革命のような市民革命をきっかけにして、自分たちの力で変革するということが決して夢物語ではなくなったことも、彼らに社会の変革を目指そうとする力を与えた。

さて、諸説あるものの、サン＝シモン死後に形成されたサン＝シモン派やサン＝シモン主義者などと呼ばれる集団のうち、フランスのピエール・ルルー（一七九七～一八七一年）が今日につながる形で社会主義という表現の使用を決定づけたとされる。

ルルーは幼少期から知的に優れた人物で、名門校である理工科大学校（エコール＝ポリテクニック）への入学許可を得ることさえできそうだったものの、貧しい母親を支えるために進学を断念し、石工や植字工といった仕事を続けていた。しかし、ルルーは植字工の経験を活かして、一八二四年に『ル・グローブ』紙を創刊し、政治や経済について広く人びとに問うことになった。それ以後、『ル・グローブ』はサン＝シモン主義者たちの機関紙的な立場を獲得していったのである。

一方、サン＝シモン、オーウェン、フーリエの思想を十把一絡げに社会主義思想と定義した人物と言えば、おそらくフランスのジャーナリスト、ルイ・レイボー（一七九九〜一八七九年）だろう。

レイボーは上からの、あるいは国家からの指導と保護によって維持され、ときには脅かされる経済ではなく、自由主義経済を支持するジャーナリストだった。そのようなレイボーが一八四〇年に刊行した著書『現代の改革者、あるいは近代的社会主義者の研究』において、サブタイトルにサン＝シモン、オーウェン、フーリエの名前をはっきりと記した。

このように、植字工のルルーやジャーナリストのレイボーが活躍するなど、黎明期の社会主義というものは、市井において職業労働にたずさわる経営者や銀行家、あるいは職人といった人びとによって支えられたのである。そもそもサン＝シモン、オーウェン、フーリエもまた、実際に行動する思想家であり企業家であり、あるいは労働者であった。

その後、マルクスとエンゲルスが一八四八年に刊行した著書『共産党宣言』においても、労働者階級と資本家階級の闘争の最初の未発達な時期の思想家という形で、そして「空想的」な思想家として、三者の名前が並べられることになる。

こうして、『共産党宣言』が刊行された直後に勃発したフランス二月革命など、社会の変革を目指した革命の嵐が吹き荒れる中で、社会主義はヨーロッパ諸国家全体に、そして世界各地に広がっていった。

ただし、隆盛を極めていくのはマルクスとエンゲルスの社会主義であった。社会主義と呼ばれるものは、サン＝シモン、オーウェン、フーリエの本来的な思想と行動に必ずしも一致するわけではなくなっていった。

†社会主義への否定的イメージ

二〇世紀に入ると、第一次世界大戦末期の一九一七年一一月にウラジーミル・レーニン（一八七〇～一九二四年）らの指導の下でロシア革命（十月革命）が成功した後、一九二二年一二月にはマルクス＝レーニン主義を掲げるソヴィエト社会主義共和国連邦（ソ連）が成立した。
ソ連は第二次世界大戦後には資本主義のアメリカ合衆国に対抗できる超大国に成長して、米ソ冷戦（東西冷戦）を繰り広げることになった。国際政治の覇権をめぐって、社会主義のソ連を中心とした東側陣営が資本主義のアメリカを中心とした西側陣営と激しく争ったのである。

このようなソ連が隆盛する中で、空想的社会主義者と見なされた人びとは、どちらかと言えばマルクスらよりも劣ったものという扱いで、彼らの陰に隠れた存在になっていたと言ってよいだろう。

ところが、一九八九年一二月に米ソ冷戦が終結し、その二年後の一九九一年一二月にソ連が解体されると、主要国と呼ばれる国々の現実政治において社会主義が政治的な重要性を持つことはほとんどなくなってしまった。しかも、マルクスやエンゲルスの構想どころか、サン＝シモン、オーウェン、フーリエらの構想も含めて、社会主義と呼ばれる構想すべてに時代遅れというレッテルが貼られたような雰囲気ともなった。

また、隆盛を極めたかつてのソ連という存在への恐れもあってか、社会主義に対して独裁的で、強権的で、危険なものというようなイメージだけが残されたようでもある。資本主義を導入しながらも社会主義国家の建設を目指す中華人民共和国をめぐっては、国内における中央政府の非人道的な行為がしばしば伝えられるとおりである。社会主義について、独裁者が反対者を抹殺したり、強制収容所で虐殺したりするような怖いものとして理解する人も多いだろう。

社会主義と名づけられたどころか、空想的などと一方的に評価されてしまい、その結果として軽んじられたり忘却されたり、あるいは危険視されたりと、サン＝シモン、オーウエン、フーリエについて後世の人びとは勝手気ままな評価を下し続けたのである。

†社会主義前夜を問うことの現代的意義

しかし、歴史的に近代が始まったとされる一九世紀初頭において、なぜ空想的社会主義と十把一絡げに評価されてしまうくらい、三者は類似するような考え方を残すことになったのだろうか。

民主主義が不完全なままだったというだけでなく、資本主義を基礎とする経済活動の中で貧富の格差も広がり続けた時代において、少なくとも三者が当時の現実を乗り越えた新しい「社会」を目指していたということだけは、なんとなくおわかりいただけるのではないかと思う。

一つの動かしがたい現実として、われわれはどんなに不平等という現実を経験したとしても、社会の中で労働にたずさわるとともに、生きていかなければならず、社会から逃げることができない。その一方で、貧富の格差という経済的平等をめぐる問題を前にして、貧困に苦しむ労働者は社会に対して絶望するようになり、社会には断層が生じることになる。

民主主義が花開く今日、たとえ一人一票が実現されたとしても、毎日の経済的な困窮に直面した労働者は幸福だろうか。僅かな現金さえ見つけられないほどの貧困に苦しむ労働者にとって、一人一票とは本当に平等と言えるだろうか。困窮する労働者は一人一票だから平等な社会に暮らしていると感じるのだろうか。

富裕層とて、このような社会の断層とは無関係ではない。

富裕層を見て、しばしばわれわれはその人の才能や努力を称賛する一方で、貧困層については努力のなさを批判したりするものである。とはいえ、実のところ才能や努力だけで人間の運命が決まるわけではない。才能を持ってどんなに努力した人間であっても、運の悪さのせいで最低限度の生活さえ送れないということはあるのである。しかも、富を築きあげた富裕層とて、なにかのきっかけによってその地位から転がり落ちる可能性がある。

また、そもそも富裕層が才能を持って努力したことで富と利益を得たとはいっても、末端で働く労働者が存在するということに加えて、社会が安定しているからこそ、富裕層は富と利益を得られるのではないだろうか。

一％の富裕層による富と利益の独占が問題視され続ける二一世紀とはいえ、今さらソ連の政治体制を復活させるわけにはいかず、あくまでも資本主義を基軸として社会をどうにかして持続させていこうとするとき、空想的社会主義と批判された人びとの思想と行動はわれわれにとって見習うべきでありこそすれ、決して無視できるものではないのである。

第一章

市民革命と産業革命

——社会をめぐる動揺と混乱

18世紀イギリスの貧民街
ウィリアム・ホガース「ジン横丁」、1751年

1 「社会」の出現

†産業革命の時代

一九世紀のヨーロッパ。

工場が立ち並び、煙突からはもくもくと漆黒の煙が絶えず放出され、ときには空が鉛色に染められることもある。機械のせいで高温となった工場の中では、大人の男女だけでなく、子どもまでもが早朝から晩までひたすら作業に従事する。

労働者は少ない賃金しか受け取ることができず、崩れかけた小便小屋のような住宅の中で生活しており、日々の辛さから逃れようとなけなしの金を飲酒のために使い切ってしまうため、粗末な食事にさえありつけないことが日常茶飯事である。

こうして長時間の労働と大量の飲酒、そして栄養失調によって労働者は身体を壊してしまう。そもそもまともな教育を受けられていないこともあって、食事もせずになけなしの金を使い切ってしまえば、どのようなことになるか想像できない。いや、たとえ想像できたとしても、悲惨な生活の中で明日への希望を持てないのだから、そのときどきの欲望のままに生きていたい。

身体を壊したことで、労働者はやがて仕事を失って浮浪者になるしかあるまい。工場で働くために農村を捨てた彼らには、もはや都市以外に帰る場所がないからである。

ときに雨でぬかるみ、ときに砂ぼこりが舞い続ける未舗装の街路では、浮浪者が物乞いのために手を差し出し、その横をいつかは同じ境遇に陥るかもしれない薄汚い身なりのやせた小柄な労働者が通りすぎる。しかも、きちんとした身なりの資本家の紳士と淑女もまたそのような街路を行き交う。彼らは貧しい労働者を踏み台にしてその地位と財産を築いたのである。

それぞれ境遇や立場、そして地位の異なる浮浪者、労働者、資本家が都市を中心として一つの社会の中で生きている。交流するというわけではないものの、互いにまったく無関係ではいられない。

ヨーロッパ諸国家の中でも、イギリスでは一八世紀半ばに一足早く産業革命が発生したことで、このような社会がすでに存在していた。フランスでも一八世紀末の市民革命の後、やがて産業革命への準備が進む中で、一九世紀初頭にはこれと似た社会が徐々に姿を現していった。まさに、「はじめに」で紹介した社会主義という思想系譜を生み出すきっかけを作った三者――サン＝シモン、オーウェン、フーリエ――は、フランス革命に揺れた一八世紀末を経て、一九世紀のこうした社会を生きたわけである。そして、これこそ社会主義の対象となる「社会」というものであった。

一八世紀以前に社会がなかったわけではない。ただし、社会というもののあり方が一八世紀ごろから一九世紀にかけて大きく変化していった。

そもそも日本語の「社会」という言葉は、英語のsociety、フランス語のsociété、そしてドイツ語のGesellschaftの訳語である。文明開化の明治時代、初代文部大臣で現在の一橋大学の創立者でもある森有礼《もりありのり》（一八四七～八九年）や、現在の毎日新聞である『東京日日新聞』の社長を務めた福地源一郎（一八四一～一九〇六年）が、societyの訳語として社会（社會）という表現を選択したという。

societyとは、もともとラテン語で仲間とか連合とか同盟とか、そういった意味を表すsocietasに由来する。さまざまな人たちが集合して、なんらかの規則や習慣にしたがいながら、あるいは感情を共有しながら日々の生活を送る空間のことが、中世末期から近世にかけてsocietyと表現されるようになっていったという。

その社会が一八世紀ごろから大きく変化し始めた結果、一九世紀初頭にはさきほど描いたような「社会」が出現することになる。一八世紀ごろまでのような領主と農民という封建的身分秩序を基礎とする小規模な共同体や、領主を含む封建貴族や上層市民の社交を意味する社会から、境遇や立場、そして地位の異なる人びとの集まる都市を中心とした社会へ、社会のあり方が変容するのである。二一世紀を生きるわれわれが知っている社会の始まりであった。

本書の主人公であるサン＝シモン、オーウェン、フーリエが生まれた一八世紀後半において、イギリスの首都ロンドンの人口が八六万人程度、フランスの首都パリの人口が五五万人程度と、両都市がヨーロッパの都市別人口ランキングでそれぞれ第一位と第二位を占めていた。そして、それから約一〇〇年が経過した一九世紀末、ロンドンの人口は六五〇万人、パリの人口は三三〇万人になるなど、ヨーロッパを代表する大都市はますます巨大化していく。大量の人びとが農村から都市に流入し、産業革命を支える労働者となったからである。そして、その生活は極めて悲惨であった。

では、このような新しい「社会」の出現についてもう少し詳しく見ていこう。

†政治・経済の変動

新しい「社会」というものの出現とは、政治的に見れば民主主義の到来によって、経済的に見れば資本主義の到来によって否応なしにもたらされたと言ってよい。「はじめに」で見たように、民主主義と資本主義は互いにそれぞれの原因として、あるいは結果として、互いが互いを必要としていた。

さて、中世以来、人間精神の知的進歩によって緩慢ではあっても科学技術が発展する中で、農業技術も進歩すれば、農業生産が拡大する。その結果、余剰生産物の取引が活発に行われるだけでなく、余剰生産物から創出された新しい商品もまた取引される中で、能力や運によって富を手にするものも現れ始める。そして、そのような富は資本として、新しい産業の創出に利用される。資本主義の勃興である。また、さらなる産業発展と資本主義の成長の中で、旧来の農村を中心とした狭い共同体が解体されていく。

こうした狭い共同体の解体をめぐっては、「ゲマインシャフト」と「ゲゼルシャフト」という区分が重要である。日本の学校教育において必ず登場する用語であるため、ご存知の方も多いだろう。

ドイツの社会学者フェルディナント・テンニース（一八五五〜一九三六年）は社会を「ゲマインシャフト」と「ゲゼルシャフト」に類型化して、前者から後者への社会進化論を提示した。地縁や血縁を基礎とする自然発生的な集団としてのゲマインシャフトに対して、ゲゼルシャフトは利害や目的に絡んだ作為的で人為的な集団のことをいう。

一八世紀以前のヨーロッパにおいて、社会とは基本的に封建的身分秩序を基礎とし、地縁や血縁でつながった狭い共同体のことだったと言ってよい。ところが、そのような狭い共同体の解体が少しずつ進んでいったことによって、サン＝シモン、オーウェン、フーリエが生まれた一八世紀ごろには、社会のあり方が大きく変化していく。

商取引が活発に行われることによって、共同体同士がつながってより広い共同体が出現したからというだけではない。地主層や一部の成功した農民層が小規模農民から土地を購入する、あるいは借金のかわりに土地を接収して所有地を拡大する一方で、土地を失った農民層が小作人になるか、あるいは農村を捨ててどこかへ去らなければならなくなることで、旧来の農村を中心とした狭い共同体が解体されていったからである。

このような共同体の解体と並行して、商品の生産様式が家内制手工業から工場制手工業に変容していった。

商品生産の様式が家内制手工業と呼ばれたように、それまでは農村においては家族を中心とした人びとが家屋に集まって商品を生産していた。ところが、地主層や一部の成功した農民層がそのようにして得た富を資本として新しい産業の創出に利用し、工場を建設することで、資本家に成長していく一方で、狭い共同体の解体を受けて農村を捨てた農民層が、労働者として工場で集中的に商品を生産するようになるのである。工場制手工業の成立である。

こうして、旧来の農村を中心とした封建的身分秩序を基礎とする狭い共同体が解体されるかわりに、工場を中心とした都市が発展していくことになる。

以上のような旧来の狭い共同体の解体は、ヨーロッパ各地の中でもとくにイギリスで著しく進んでいった。「囲い込み」と表現されるように、地主層や一部の成功した農民層は所有地を拡大することで、羊毛や商品作物の生産を増大させ続けた。その一方で、土地を失った農民層は都市に流入して毛織物製造にたずさわる労働者に転化していき、やがて技術革新にともなう生産の爆発的増大、つまり産業革命が発生することになる。

また、食料も大規模に生産されるようになったことで、人口増加が可能になった。しかも、農場経営が大規模化すればするほど、効率化されて農業生産がさらに増大する。このような農業生産のさらなる増大にともなって食料生産もさらに増大することで、人口がますます増加し、労働者になる人口も増加する。必要とする労働力が賄われれば賄われるほど、さらに大規模な生産が行われて、産業革命がもっと進展する。

同時に、その手に富を得た一部の平民たちを中心とする人びとは、自らの経済活動によって国家を支えているという自覚を持ち、政治的な発言力を増すことを望み始める。封建貴族などによって一方的に搾取される不自由で不平等な封建的身分秩序を完全に打破して、新しい民主主義的な体制を樹立しようと考えるのである。

ところで、以上のような政治・経済の変動と並行して、これを捉えようとする思想的変動も見られるようになる。

†思想的変動

ヨーロッパの街には、たいていの場合、その中心にキリスト教の教会がそびえ立つ。

このようなキリスト教は、中世ヨーロッパにおいて当時の封建的身分秩序と結びつきながら、人びとを支配するシステムとなっていた。ところが、中世以降の歴史の展開の中で、キリスト教の権威は確実に失墜していくのである。

キリスト教は人間を祈る人（聖職者）、戦う人（封建諸侯や騎士）、耕す人（平民）の三つに分けるなど、中世の封建的身分秩序を正当化したように、人びとの関係を調整する機能を果たしていた。また、天動説や天地創造など聖職者が語る世界観こそが、人びとにとって世界を理解するための方法でありえた。

しかし、科学技術の発展によって、人びとの知識が増大すればするほど、キリスト教の権威が否応なしに失墜してしまうのは当然だろう。キリスト教の権威が失墜すればするほど、封建的身分秩序も正当性を喪失する。そして、さきほどのような政治・経済の変動にともなって、封建的身分秩序が解体・打破されていく。

そのような中で、人びとの関係性やその権利のあり方について新たに捉えようとしたものこそ、一七世紀のイギリスから始まりフランスで大きく花開いた啓蒙思想であった。

啓蒙思想家たちは権力というものの存在理由を探究し、そのために擬制（フィクション）としての自然状態を想像した。つまり、社会が構築される以前の世界のあり方である。

啓蒙思想家たちによれば、社会が構築される以前の自然状態において、人間は自由で平等に生きていたものの、常に奪い合いや殺し合いといった危機に直面していたという。

たとえば、啓蒙思想の直前とはなるが、イギリスの思想家トマス・ホッブズ（一五八八〜一六七九年）の「万人の万人に対する闘争」という表現はよく知られているだろう。こうした発想を引き継いだ啓蒙思想家たちの考えでは、その身の安全のために、人間はたとえ自らの自由の一部を差し出したとしても、社会契約によって社会を構築して市民になるのだという。そして、社会を構成する市民同士の関係を調整するためにも、権力が必要となる。

そうだとすれば、社会もそれを維持するための権力も、市民たる個人のために存在するということになるだろう。

一七世紀のイギリスから始まった啓蒙思想はフランスにも広がっていき、人びとは目の前にある政治・経済をめぐる現実に疑問を持つことを促されるようになったのである。

ところで、人間がその身の安全のために社会を構築するのなら、どんな権力であっても奪うことのできない人間の本来的な権利というものがあるはずである。啓蒙思想家は生まれながらにしての人間の権利を自然権と呼び、社会契約以前から獲得されていたものとしてどんな権力によっても奪われないと考えた。

自然権の中身は時代によっても論者によっても変化するとはいえ、基本的には自己の生命を守ろうとする生存権や自由権、幸福追求権などがこうした自然権に該当するとされる。啓蒙思想とは、権力でさえ奪えない人間の権利について考えるには有効な思考方法であった。

以上のような思想に拠って立つならば、どのような差別的な身分制度が存在しようとも、為政者を中心とした国家は人間の自然権を奪えないどころか、人間を幸福にする義務を抱えるにもかかわらず、為政者に権力を委譲した人間はその身の安全を脅かされるのならば、そうした為政者を打倒してもよいことになるだろう。

国家などというものは人間の相互利益のための取り決めによって存在するものにすぎないのに、なにゆえに大多数の人間はその利益を侵害され続けなければならないのであろうか。このように考えるならば、特権を持った封建貴族などがもっぱら富と利益を貪るという封建的身分秩序を変革する必要があるだろう。

中世が始まって以来、イギリスでは漸進的な形で議会政治が発展してきており、議会を中心に政策決定がなされるようになっていた。とはいえ、政治参加が一部の人びとに限定されるなど、現代の民主主義のあり方から考えればまだまだ不十分な状態であった。そして、政治・経済の変動に加えて、思想的変動によって、一八世紀末から旧来のイギリスの秩序は少しずつ動揺し始めるのである。

フランスはどうであろうか。

啓蒙思想が大きく広がる中で、旧来の不平等で不自由な政治・経済体制を変革しようという動きが芽生えていた。その一方で、政治・経済体制を変革した後において、どのような新しい政治・経済体制を樹立するべきかという構想が明確にあったわけではなかった。そうした構想の不明確さが、やがて発生するフランス革命の道筋を暗いものにする。

イギリスにおいてもフランスにおいても、一八世紀末から一九世紀初頭の思想家・哲学者らは旧来の秩序の動揺や崩壊を受けて、徐々に姿を見せ始めた新しい「社会」のあり方とその安定について探究しなければならなくなったのである。

2 フランス革命

†アメリカ独立革命

政治・経済の変動が封建的身分秩序を動揺させて、それに応じて思想が新たな展開を見せる中で、一八世紀のヨーロッパは危機に直面した。

ヨーロッパの領土をめぐって、あるいは世界各地で植民地をめぐって諸国家間の戦争が相次ぐことで、その戦費が国家財政に大きな負担となっていたのである。そして、戦費が重税として平民の生活に直撃し、彼らの不満を高めた。

ヨーロッパや世界各地での戦争の中心となったのは、イギリスとフランスであった。そして、その結果、イギリスがフランスから北アメリカやインドの植民地を奪取することに成功しただけでなく、やがて二〇世紀に至るまで世界の覇権を握っていくことになる。

とはいえ、戦費用の国債の償還費用や軍隊の駐屯費用は莫大であり、敗北したフランスにとってはもちろんのこと、勝利したイギリスにとってさえも大きな負担となった。そこで、イギリスは北アメリカ植民地への課税で国家財政を立て直そうと考え、一七六四年にイギリス領以外から輸入される糖蜜に高率の税金をかける砂糖法、一七六五年に出版物や証書などに課税する印紙法をそれぞれ制定した。さらに、一七七三年の茶法によって、イギリス東インド会社に北アメリカ植民地への茶貿易を独占させた。

もちろん、北アメリカ植民地はイギリス本国政府に強く反発した。

「代表なくして、課税なし！」

この有名な言葉とは、北アメリカ植民地が課税を決定するイギリス本国議会に投票権を持つ議員を送れなかったことを意味している。課税される当事者が課税の決定に投票できないというのは不当であろう。

そのような中で、一七七三年一二月に植民地側住民がイギリス東インド会社の船舶の積荷である茶をボストン港に投棄したボストン茶会事件を起こすと、一七七五年四月にはイギリス軍と植民地軍の武力衝突が発生し、ついにはアメリカ独立戦争（アメリカ独立革命）が勃発したのである。

そして、一七七八年にはブルボン王朝のフランスが独立側に立って参戦した。

国王を中心としたフランス政府としては、北アメリカ植民地どころか、世界の覇権を奪ったイギリスに対する意趣返しを狙っていただろう。その一方で、啓蒙思想全盛の時代、こうした思想に魅了されたラファイエット侯爵（一七五七～一八三四年）といった多くの貴族たちは、イギリスの圧政を跳ね返そうとする植民地側を支援しようと、北アメリカに向かったのである。

しかし、かつてのルイ一三世（在位一六一〇～四三年）やその息子のルイ一四世（在位一六四三～一七一五年）のころより続いてきた度重なる対外戦争に加えて、巨大で贅を尽くしたヴェルサイユ宮殿建設などの国家的事業によって、フランスの国家財政はすでに破綻直前に追い込まれていた。そして、アメリカ独立戦争への参戦によって、国家財政は一気に瀕死の状態に陥った。

†変革が不可能ではないということ

このようなアメリカ独立戦争が終盤にさしかかった一七八一年八月末、一人の若いフランス軍人が仲間とともにアメリカ東海岸のヘンリー岬に上陸した。

独立戦争への従軍を志願した後、フランスを発ってから約一年半以上も経過していたものの、カリブ海地域での作戦にしか参加していなかったため、彼がアメリカ本土に上陸するのは初めてだった。

だからといって、従軍を決めたときのような新しい時代を切り開くことへの胸の高鳴りを覚えるということはなかった。目の前のことに熱しやすいが、移り気のために情熱を長く保てないという性格のせいか、もはや戦場に飽きていた。ただただ作戦を無事に終了させて、早くフランスに帰国したかった。

もちろん、一〇月九日にジョージ・ワシントン（一七三二～九九年）率いる合衆国軍と合同して、フランス軍がヨークタウンに立て籠もるイギリス軍への攻撃を開始したときには、フランス軍砲兵隊の一部隊を率いる彼も一生懸命に作戦を遂行した。

一〇月一六日には敗戦をほとんど悟ったイギリス軍がフランス軍砲兵隊に決死の戦いを挑んだが、フランス軍砲兵隊はこれを退けた。そして、翌日にはイギリス軍が降伏したことで、アメリカ独立戦争の趨勢は決定した。それはちょうど彼の二一歳の誕生日のことであった。

戦争がついに終わったのだから、彼はそれなりに晴れ晴れとした気持ちになっただろうが、そんなことよりも早く帰国したい気持ちだった。

図1　サン＝シモンの肖像画（制作年不明）

若者とは、つまりサン＝シモンのことである。

一七六〇年一〇月、サン＝シモンは大きな封建貴族の分家である伯爵家の長男としてパリで生まれた。当時の封建貴族の子弟は若くして軍人になるものだったため、サン＝シモンもまた一七歳のときに父親に士官の地位を買ってもらって軍人になった。そして、一七七八年にフランスがアメリカ独立戦争に参戦すると、サン＝シモンは志願してカリブ海からアメリカ大陸本土での作戦に従事することになったのである。

このような当時の経験について、サン＝シモンは一八一六年末から一八一八年五月にかけて刊行した『産業』という著作シリーズのうち、一八一七年五月の「第二巻」の中で「（自分を）アメリカ合衆国の自由の創建者の一人としてみなすことができる」とか「（アメリカのような社会をフランスで）花咲かせてみたいという願望をはじめて抱いた」とか、そういった文章で回想する。

サン＝シモンによれば、アメリカ独立戦争とは、有益な労働をとおして国民生活の根幹の産業に貢献する平民たちが立ちあがり、世界初の自由民主主義政体を樹立した出来事だった。サン＝シモンはそのようなアメリカ合衆国の独立に立ち会ったことで、労働せずに贅沢な暮らしを送る無為徒食の封建貴族といった特権身分を一掃することを目指すようになったという。

ところが、サン＝シモンが従軍中に残した手紙の数々の中に、そうした思いは書かれておらず、家族への思いばかりがつづられている。とにかく早く家族に会いたい、故郷に帰りたいという思いがにじみ出ているのである。

しかも、サン＝シモンはもっぱらカリブ海方面での作戦に従事していたため、現在のアメリカ合衆国本土にはたったの二カ月しか滞在していない。つまり、アメリカ独立戦争のことを回想するのは、著書を売るための宣伝文句みたいなもので、当時の若いサン＝シモンが何を考えていたのかはよくわからない。老年期になったサン＝シモンが過去を大げさに振り返ったにすぎないため、当時実際に何を考えていたかは推測するしかない。

ただし、パリにあったサン＝シモン伯爵邸には、フランス革命の思想的基盤を準備した百科全書派の思想家たち、つまりジャン・ル＝ロン＝ダランベール（一七一七〜八三年）らが出入りしていたとされており、一族に開明的な雰囲気が漂っていたのだろう。サン＝

シモン自身も、後年に至ってダランベールが家庭教師であったと述懐するのである。サン＝シモンの幼年期から青年期のことはほとんどわかっていないのだが、屋敷の中には大きな封建貴族らしく貴重な書籍が数多く所蔵されていただろうし、屋敷に出入りする有名な啓蒙思想家たちが話しかけてくることはあっただろう。

二〇世紀フランスの社会学者ピエール・ブルデュー（一九三〇〜二〇〇二年）が「文化資本」という言葉で説明したように、幼年期の家庭から相続される文化や教育の影響はその人物の生育に投下された資本として、一生にわたって大きな影響力を発揮する。実際に志願してアメリカ独立戦争に参加したことから考えても、サン＝シモンがこのような家庭環境のおかげで旧来の封建的な政治体制ではなく、自由と民主主義を基礎とした政治体制の樹立を目指すというような開明的な意識を持つことになったのはありえるだろう。

それでも、サン＝シモンはその骨の髄から貴族であったように思われるのである。身分的にも金銭的にも物質的にも恵まれた家庭で育った人間というものは、己の欲求のままにさまざまなことに興味を持つことができるからだろうか、サン＝シモンはよく言えば柔軟なのであるが、悪く言えば移り気なのである。それゆえ、アメリカ独立戦争に熱狂して志願したかと思えば、すぐに戦場にいることに飽きてしまう。

ただし、そのような性格のおかげで、この後サン＝シモンは一言では説明できない思想を残すことになる。

いずれにしても、変革が不可能ではないということについて、多くのフランスの平民たちはアメリカ合衆国の独立をとおして強く理解したのであった。フランスでも変革が起きようとしていた。

†フランス革命への道程

「パンがなければお菓子を食べればいいじゃないのよ」という王妃マリー・アントワネット（一七五五〜九三年）の発言は後世の作り話であるという。しかし、平民たちがパンを求めていたのは事実である。

国王ルイ一六世（在位一七七四〜九二年）が即位したころ、食料難に苦しむ平民の暴動が発生するなど、フランスの国内情勢は抜き差しならない状態となっていた。

「君主とは平民たちを幸福にするものではないか……」

多かれ少なかれ啓蒙思想の影響を受けていたルイ一六世はこのように考え、一七七四年に経済学者のジャック・テュルゴー（一七二七〜八一年）を財政担当の財政総監に任命して、国家財政の再建を目指すことにした。

当時のフランスでは、テュルゴーを中心にして、重農主義と呼ばれる考え方が隆盛を極めていた。これはもともと先代のルイ一五世（在位一七一五～七四年）の侍医だったフランソワ・ケネー（一六九四～一七七四年）によって構想されたもので、あらゆる富を生み出す源泉としての土地、そして土地を基盤とする農業を重視し、その生産性を高めるために経済活動を自由に行わせようとする立場をとった。

まさに経済自由主義と呼べる構想であり、経済学者として名を成すことになるイギリスのアダム・スミス（一七二三～九〇年）に影響を与えるなど、ヨーロッパ中で注目を浴びていた。

こうして財政総監に就任したテュルゴーは経済活動の自由化を進めるために、国内に張り巡らされていた流通関税を廃止して穀物流通を自由化することに加えて、生産と販売など市場を独占する職業別組合（ギルド）を廃止して自由競争を促進しようとした。自由化をとおして経済を活性化すれば富が増大し、増大した富によって財政危機が克服できると考えられたのである。

実のところ、このような自由化による経済の活性化という構想が、「空想的社会主義者」と呼ばれた人びとの思想においても見られる。

二一世紀に生きるわれわれは、社会主義と聞くと国家管理的な経済を想像しがちであるが、むしろ「空想的社会主義者」の中には自由化によって経済を活性化して富を増大させ、貧困にあえぐ労働者の境遇も改善していこうと考えるものもいるのである。これについては、後ほど触れていきたい。

いずれにしても、早急な改革に対する強い反発によって、テュルゴーは一七七六年五月に辞職した。そして、翌年六月に新たに財政担当として財務長官に任命されたのは、スイス人銀行家のジャック・ネッケル（一七三二～一八〇四年）であった。

ネッケルはフランス史上初めて国家財政とその浪費の状態を明らかにしながら、政治改革を実現しようとした。このようなネッケルは平民出身だったこともあって同じ平民たちから歓迎されたものの、聖職者と貴族という特権階級からは強く反発された。そして、一七八一年五月にはネッケルもまた辞職に追い込まれた。

さて、ネッケルの辞任から約二年後の一七八三年六月、本書の冒頭で紹介したようにアイスランドでラキ火山が大噴火を起こした。さらには、氷河に覆われた火口であるグリムスヴォトンも噴火したのに加えて、日本の浅間山の天明噴火も起きたことで、一七八三年以降の北半球では異常気象が続き、農産物の壊滅的な不作が引き起こされたのである。

一七八五年に入ると都市部への穀物供給がほとんど滞った結果、もともとよいとは言えなかった食料事情がのっぴきならないレベルで悪化して、小麦価格とパン価格が高騰し、餓死者さえ発生する始末となった。もともとの重税に加えて飢饉に苦しむようになった平民たちの不満は高まる一方だった。本書の主人公であるサン＝シモン、オーウェン、フーリエは青年期においてまさにこのような世界を生きていたのである。

†フランス革命勃発による大混乱の時代へ

こうした中で、フランスでは歳入減少と国債償還の困難に直面した政府が平民に対してだけでなく、免税特権を持っていた聖職者と貴族への課税も目論んだ。

当時、総人口二七〇〇万人程度のうち、第三身分とされた平民が約二六〇〇万人も存在して重い納税義務に苦しむ一方で、第一身分とされた一四万人の聖職者と第二身分とされた四〇万人の貴族だけが免税や年金支給という特権を保持して国政を動かしていた。この特権を奪おうとする法案が登場するならば、聖職者と貴族は当然のように身分制議会である全国三部会でこれを握りつぶしてしまおうとする。

全国三部会では、三つの身分ごとの議決によってその意思が示されるため、聖職者・貴族という二つの特権身分が一致団結すれば、自分たちにとって都合の悪い課税案などを握りつぶすことができたのである。平民にとってみれば、身分制議会は特権階級の牙城として自分たちを苦しめる存在でしかなかった。それゆえ、国政に対する平民たちの不満は高まり続け、変革を求める動きも強まった。

平民たちがネッケルの辞職に強く反発するだけでなく、財政再建が進まない中で、結局は一七八八年八月にネッケルが財務長官に復帰した。さらに、一七八九年五月にはヴェルサイユ宮殿で財政再建のために三部会が開会された。

新たに開催された三部会において、第三身分は三つの身分を合同した一人一票による議決方法を主張した。三つの身分を合同した一人一票による議決であれば、第三身分は過半数を上回る五七八人の議員を擁していたことから、二九一人の第一身分と二七〇人の第二身分に勝つことができよう。

ところが、聖職者と貴族という二つの特権階級が議決方法の変更に反対して、課税案の審議が開始されなかったことで、第三身分の議員たちは三部会に見切りをつけて国民議会を発足させた。そして、ヴェルサイユ宮殿内のテニスコート（球戯場）に集まり、憲法制定を実現するまで国民議会を解散しないというテニスコートの誓い（球戯場の誓い）を高らかに謳いあげた。

このような事態の中で、ルイ一六世が国民議会を正式な議会として承認するとともに、聖職者と貴族の議員たちの一部も国民議会に合流した。とはいえ、第三身分主導の下、憲法制定国民議会と名を改めた国民議会が憲法制定に着手したところ、ルイ一六世は第三身分の動きに反対する王弟アルトワ伯爵（のちの国王シャルル一〇世）や特権身分側の要求を受けてヴェルサイユとパリに軍隊を集結させ、国民議会に圧力をかけ始めたのである。

しかも、七月一一日にルイ一六世はやはり特権身分側の要求を受けてネッケルを罷免してしまった。

ネッケルの罷免が事態を一気に動かした。

七月一四日朝、ネッケルの罷免に怒る平民たちがアンヴァリッド（廃兵院。傷病兵の看護施設）に押しかけて三万丁の銃と二〇門の大砲を奪った後、さらに武器弾薬を確保するためにに向かったバスティーユ牢獄で守備兵と交戦を開始したことから、ついにフランス革命が勃発したのである。

こうして、ルイ一六世がネッケルを復帰させた後、憲法制定国民議会が八月四日に封建的特権の廃止を決定しただけでなく、二六日には日本で「人権宣言」として知られる「人間と市民の諸権利に関する宣言」を採択した。「人権宣言」はアメリカ独立戦争に参戦したラファイエットらによって起草されたもので、人間の奪われることのない権利を掲げた。

だからといって、事態が終息したわけではなかった。「国王を殺せ！ 王妃を殺せ！」「貴族を殺せ！」「聖職者を殺せ！」「革命に反対するやつらを殺せ！」

人びとがただただ疑い合って憎しみ合い、憎しみ合った末に殺し合い、秩序を破壊し続けるだけの、そんな時代が始まったのである。

3 革命の焼け跡の中で

†サン＝シモン、ドーヴァー海峡の南側で

特権階級が不平等な封建的身分秩序を維持するどころか、貧困にあえぐ平民たちを省み

ることさえなく、一方的に搾取し続けるのならば、平民たちが暴発して目の前の政治・経済体制を破壊し尽くそうと思うのは、無理のないことである。

ましてや、教育制度が整備されていない時代、無知蒙昧な平民たちは扇動家によって煽られ、怒りにまかせて破壊活動に勤しむだろう。そこに目指すべき将来像などというものがあるはずもない。そして、人間の奪われることのない権利を謳う啓蒙思想が高らかに掲げられていても、そんなものは一部の開明的な特権階級や一部の成功した平民たちの持ち物なのであって、無数の名もなき貧しい平民たちの与り知らない話である。

フランス革命を生き抜き、その後の世界に名を残した人物たちは、身を持ってフランス革命の原因と結果を体験することになった。

フランス革命が勃発すると、フランス北部ソンムにある一族の領地にいたサン＝シモンは、封建貴族であるにもかかわらず革命家として動き出した。フランス革命を指導したオノレ・ミラボー（一七四九〜九一年）が伯爵の爵位を持つ貴族であったように、特権階級の中にも現状をおかしいと思う人びとはもちろんいたわけで、サン＝シモンもまた幼年期からの教育やかつてのアメリカ独立戦争の経験から、今こそ動かなければと思ったのかもしれない。

サン＝シモンは伯爵の爵位を放棄することを宣言するとともに、その他の貴族の爵位放棄を要求する文書を憲法制定国民議会に送付した。サン＝シモンの提案が受け入れられたというわけではないだろうが、革命勃発の翌年六月に貴族の称号は廃止された。また、サン＝シモンは名字のサン（「神聖なる」という意味）をあまりに貴族的だとして、農民を意味するボノムを名字として選んでアンリ・ボノムに改名した。

一方で、フランス人の母親を持つレーデルン伯爵というプロイセン貴族とともに、サン＝シモンは投資事業も進めていた。当時のフランス革命政府が亡命貴族や教会の土地・財産を没収して、安価に民間に払いさげていたからである。サン＝シモンとレーデルンはこれらの買い取りを進めて、いつの間にか莫大な財産を築きあげるようになっていた。

サン＝シモンという人物は一筋縄ではいかない。フランス革命という目の前の出来事に思わず盛りあがり、爵位の放棄を提案したり、貴族的な名前を捨ててみたりと、平民に寄り添うような革命家の一員として振る舞ってみせるが、急に冷めてしまったのか、今度は降って湧いた投資事業に盛りあがり、金儲けを成功させてしまう。

もちろん、開明的な空気の漂う育った環境や、志願してのアメリカ独立戦争への参加、そしてフランス革命への積極的な関与などを踏まえると、サン＝シモンは幼年期から青年期へ成長する中で旧来の封建的な政治体制ではなく、自由と民主主義を基礎とした政治体制の樹立を目指すという揺るぎない理想を持つようにはなっていたのだろう。ただし、移り気な性格のせいで、理想の実現のためだけに毎日を生きるということはできない。

また、このような開明的な思考の持ち主だったのなら、貴族社会の行く末がはっきりと見えてしまったのだろう。封建体制崩壊と領地喪失後の生活基盤を整えるために、投資事業に邁進したのかもしれない。

とはいえ、やがては投資事業にも飽きてしまった挙げ句、今度は勉強に盛りあがるようになり、ついにはそうして形成した考えを世の中に広く開陳しようとすることになる。

†オーウェン、ドーヴァー海峡の北側で

「君はどう思うかね?」

イングランド北西部にあるマンチェスターの織物業界の中で働く若者は、友人や知人から、あるいは同業者や出入りする取引業者から、はたまた店を訪れる客から、口々にこのように聞かれたことだろう。

とはいえ、誰もこの若者の考えを聞きたいわけではない。

革命勃発という隣国フランスの大事件を耳にして、誰もがなんとはなしにこの件について口に出すことで挨拶のかわりにしたり、あるいはそこから本題に入っていったりしたいだけなのである。

一九世紀初頭の新聞を見ると、パリの情報が約三日後にはイギリスの紙面に掲載されているため、フランス革命勃発という情報は早々にドーヴァー海峡を越えて、若者の暮らすマンチェスターに伝わったと思われる。

マンチェスターでは、一四世紀にフランドルからの移民によって毛織物生産が開始されて以来、織物産業が発展していた。一七八五年には蒸気機関による紡績機を導入した工場制機械工業の出現によって、織物産業がさらなる発展を遂げるようになっただけでなく、仕事を求めて労働者が大量に流入することで、一八世紀初頭に一万人弱だったマンチェスターの人口は一九世紀初頭には一〇万人弱へ急増した。なお、一九世紀半ばのマンチェスターの人口は四〇万人を超えることになる。

大規模に産業が発展すれば、その担い手である資本家たちは商売のために国内外の情報を知ろうと積極的に新聞を読み、互いに議論するものである。街の主要産品である織物を扱う業者であれば、なおさら積極的に情報を求めるものだろう。若者とて新聞を読んでいたかもしれないし、たとえ新聞を読んでいなかったとしても、まわりから話を振られることで否応なしに情報に接することになるのである。

このような若者ことオーウェンは、一七七一年五月に北ウェールズ地方モントゴメリーシャーで、七人兄弟の六番目の子どもとして誕生した。父親は馬具商と金物商を兼ねており、母親は裕福な農民の娘だったという。

金銭的にも物質的にも極端に恵まれているわけではないが、それなりに精神的な豊かさを得られる家庭の中で、オーウェンは育ったようである。

オーウェンの『自叙伝』によれば、彼は幼少期からさまざまなことを観察して、思索することが好きだったという。とくに、毎日の生活に根ざしている宗教について興味を持つとともに、イギリス国教会とローマ＝カトリックの対立など、イギリスにおいても長らく続いてきた宗派対立という現状を見て、やがて宗教のあり方を疑うようになった。こうした宗教に対する思いは、オーウェンの一生に刻み込まれることになる。

さて、一八世紀後半という時代の一般的な平民の子どもたちは幼少期から働き始めるものであり、オーウェンも隣家の店を手伝うことになった。また、この時期のオーウェンは短期間だけ小学校に通っただけで、家庭での学びを中心にして読み書きと算数が簡単にできるようになっていた。義務教育がまだない時代、それだけのことができれば、立派な教育の水準に達したと考えられていたという。さらに、一〇歳で故郷を離れてスタンフォードの反物商店で修業を開始すると、勉強が好きだったということもあって、オーウェンは毎日の生活の中で勉強を続けた。その後、マンチェスターに移って、サタフィールドという人物の反物商店で働きながら織物業界の知識を身につけていった。

ところで、フランス革命が勃発した一七八九年のこと、オーウェンはジョーンズという人物から何度も同じ話を繰り返し聞かされた。

図２　オーウェンの肖像画（1800年）

「うまい儲け話があるんだが、聞いてみないか？」

ジョーンズは、オーウェンの働く反物商店に婦人帽用の針金部品の納品でやってくる人物で、オーウェンと共同で紡績業を営もうというのである。なぜならば、ジョーンズ自身は商売を始めるための金を持っていなかったからである。

こんなとき、たいていの人間はふざけた話だと一笑に付したうえで申し出を断るものだろうが、オーウェンは話に乗って実兄から金を借り、紡績機を製造した。その結果、二人は人を雇って紡績業を始めることができた。

ところが、ほとんど役に立っていないジョーンズが他の金持ちと商売を始めようと企てたこともあって、結局のところオーウェンは独立して紡績業を続けることになってしまった。そして、新しい事業を開始するという賭けに失敗するどころか成功するのである。

†オーウェンの挑戦

勤め人となって終身雇用で一生を過ごすなどという考え方が存在しない時代、オーウェンとていつの日か自分の力で商売を始めたいと思っていたのだろう。ジョーンズのふざけた話であっても、ちょうどよい転機だと考えたのかもしれない。

また、そもそもオーウェンという人物は、何事にも楽観的すぎるきらいがある。自分の可能性を信じ、周囲の環境を信じ、人を信じ、そうして掲げた目標に向かって突き進んでいく。しかも、情理を尽くして説得すれば、他者の賛同や協力を得られると信じている。

ただし、他者を説得できる、あるいはその賛同や協力を得られるという自信を持つことは、自分の理想や目標を信じて疑わないということと表裏一体である。自分の理想や目標を信じて疑わないからこそ、他者と折り合いをつけるのではなく、他者を説得しなければならないと考える。こうした人間は、やがて自分の理想や目標に頑なになってしまう。このような性格が周囲との乖離を生むことになる。

さて、若い経営者であるオーウェンの成功が噂として広がる中で、ある日、自社の紡績工が他社の工場支配人の募集広告を見つけてきた。ピーター・ドリンクウォーターという人物の紡績工場で、最新鋭の紡績機が導入されているという。

オーウェンの『自叙伝』によれば、彼は自分でもなんだかよくわからないままに、この募集広告に興味を持ったという。そして、二〇歳かそこらのオーウェンは自分の工場設備をドリンクウォーターに売却したうえで、マンチェスターと同じランカシャー地方にある工場の支配人になった。小さくても自分の工場を続けるのではなく、もっと大きな場所で挑戦したいという心理が働いたのだろう。

当時のヨーロッパ各地の工場でそうであったように、オーウェンが新たに支配人となったドリンクウォーターの紡績工場でも大人の男女に加えて子どもたちも働いており、すべての従業員を合わせて五〇〇人ほどがいたという。そのような大工場の支配人として、オーウェンはまたもや成功していった。そのカギは労務管理と品質管理であった。

当時の経営者は、従業員を大人であろうと子どもであろうと長時間労働と低賃金で酷使しようとするものであった。労働者の権利などがまともに語られることはなかった一八世紀末、経営者は現代の経営者よりも長時間労働と低賃金によるコストの削減を信仰していたはずである。

しかし、オーウェンは高賃金を保証した。労働者を低賃金で酷使することでコストを下げて利益を上げるのではなく、労働者に高賃金を支払って報いることで、品質向上と増産を達成して利益を上げていくという道を選択し、実際にそれを成功させたのである。

ところで、イギリスという産業社会において、労働者の権利が保証されないことが会社の業績上昇に限界をもたらしていたのであれば、オーウェンの経営実践のように、労働者の権利を保証するということこそが会社の成功には必要と言えよう。

そして、フランスという封建社会において、平民の権利が保証されないことが革命を引き起こしたと考えるなら、平民の権利を保証するということこそが、新しい「社会」には必要と言えよう。

英仏両国の事情は互いに無関係ということはない。フランスではフランス革命勃発後において、産業革命の開始と資本主義社会の発展の中で労働者をめぐる問題が発生し、イギリスでは産業革命の展開の中で、フランス革命の影響も少なからず受けながら、やがて平民の権利保証といった政治改革を求める声が高まるからである。

まさに平民が労働者であり、労働者が平民であるという時代、その新しい「社会」を安定させるためには、平民にして労働者の権利を保証することこそが重要になろう。

とはいえ、革命家の一員として振る舞っていたサン＝シモンにしても、工場支配人として業績向上に努力していたオーウェンにしても、おそらく目の前の事件や事業に必死で、この時点では新しい「社会」についての構想など描けていなかったに違いない。

†恐怖政治、安定のための一つの解

フランスに視点を戻してみよう。

フランス革命が勃発したといっても王政は続いており、国王は革命前と同じくルイ一六世のままであった。ミラボーやラファイエットといった革命政府の指導者たちは国王を戴いて憲法を制定し、立憲君主政のフランス王国を打ち立てようとしていたのである。また、パリで革命が勃発しようとも、無数の平民たちには素朴な形で国王に対する敬愛の念が残っていた。

ところが、一七九一年四月にミラボーが死去して、国王と革命政府の指導者の関係が崩れ始めると、フランス政局はにわかに混沌とした雰囲気に包まれることになった。このような事態の中で、王妃マリー・アントワネットは、祖国オーストリアの兄帝レオポルト二世（在位一七九〇～九二年）と連絡を取り、国王夫妻の国外脱出と諸外国によるフランスへの軍事介入の計画を進め始めたのである。

こうして、ルイ一六世と王妃マリー・アントワネットは子どもたちや女官らとともに、馬車に乗って一路フランスからの逃亡を目指したものの、東部国境近くのヴァレンヌで捕縛されてパリに連れ戻された。一七九一年六月に起きた、いわゆる「ヴァレンヌ逃亡事件」である。

ルイ一六世が国外逃亡を試みたどころか、諸外国の軍隊とともにフランスに介入しようとした事実は、フランスの人びとに大きなショックを与えた。人びとの意識は急進化していき、王政廃止の動きが強まっていった。

王政維持か王政廃止かでフランス国内が揺れ動く中でも、一七九一年九月にはルイ一六世を国王として戴く立憲君主政の一七九一年憲法が制定された。その一方で、オーストリアやプロイセンによるフランスへの介入の可能性やエミグレと呼ばれる王党派亡命貴族による国外からの扇動活動は、フランスの新体制を動揺させていた。

そして、一七九二年四月に革命政府がついにオーストリアに対して宣戦布告したことから、「フランス革命戦争」が勃発した。ところが、王妃マリー＝アントワネットがオーストリアにフランス軍の作戦を漏らしていたことや軍隊の指揮官クラスの貴族が革命を嫌って亡命してしまっていたこと、あるいは貴族出身軍人のやる気のなさなどもあって、フランス軍は各地で戦いに敗北し続けた。

フランス軍の各地での敗北という危機を受けて、国民議会を改組した立法議会が一七九二年七月一一日に「祖国は危機にあり」との宣言を出すと、全土から義勇兵が集まった。さらに、八月一〇日には情報漏えいに怒る平民たちが国王一家を拘束して、タンプル塔という牢獄に幽閉した。王権停止によって共和政樹立が確実視される中で、ラファイエットなど立憲君主政派は国外に亡命していった。

対外戦争が続く一方で、国内では革命後に発行されたアッシニアと呼ばれる紙幣への信用が低下することで、激しいインフレーションが発生し、無数の平民たちの生活は苦しくなる一方であった。平民たちは革命の展開に幻滅して、もっと急進的な政治勢力の登場を望むようになり、マクシミリアン・ド・ロベスピエール（一七五八〜九四年）らのジャコバン派が王政廃止や徹底的な反革命派追及といった急進的政策を掲げながら勢力を拡大することになる。

しかも、平民たちの中でもサン・キュロットと呼ばれる財産を持たない貧しい人びとが中心となって、全土で反革命派狩りや監獄への襲撃が行われた結果、監獄内にいた反革命容疑者たちがつぎつぎと虐殺された。また、フランス軍が九月二〇日のヴァルミーの戦いで勝利して外国軍を敗走させると、義勇兵として戦いに参加したサン・キュロットの発言力が強まった。

このようなヴァルミーの戦いの翌日、立法議会にかわって国民公会が開設されるとともに、王政廃止によって第一共和政が成立した。

さらに、一二月にルイ一六世は裁判にかけられ、年明けて九三年一月二一日にはパリの革命広場でギロチンによって処刑された。

ルイ一六世の処刑を受けて、周辺諸国家では反革命の機運が高まり、各国軍はフランスへの攻撃を開始した。これに対して、ジャコバン派の台頭の中で国民公会は三〇万人募兵令を発布することで、地方自治体に兵士の強制徴募を要求して兵力不足を補うだけでなく、国内の不穏分子を強制的に抑え込むために、公安委員会・保安委員会・革命裁判所などの機関を使って反対派をつぎつぎとギロチンで処刑していった。

まさにジャコバン派主導の「恐怖政治」の開始であった。

恐怖政治の対象は純粋な反対派だけではなかった。サン＝シモンのような貴族出身で、派手な投資活動を進めているような人物も逮捕されたのである。

一七九三年一一月、サン＝シモンは逮捕されると、貴族などの上層階層用監獄となっていたリュクサンブール宮殿に送られ、裁判と処刑を待つのみとなった。

†リヨンの反乱とフーリエ

フランス南東部の大都市リヨンは騒然としていた。

革命そのものに反対する王党派とともに、パリで進む革命の急進化を拒否する穏健派が、革命を急進化させようとするサン・キュロットと激しく対立していたからである。

そして、ある若者もこの街で暮らしているがゆえに、否応なしに激しい党派対立に巻き込まれようとしていた。

ジャコバン派の恐怖政治の中であっても、首都パリとそれ以外の地方の間には温度差があった。結局のところ、どんなにパリで革命が進展しようとも、地方ではキリスト教への信仰や国王に対する敬愛の念というものが素朴な形で残っていたからである。しかも、そこに三〇万人募兵令という人びとを強制的に兵士として駆り出す政策が加わったことで、人びとの国民公会に対する不満が一気に爆発した。このような中で、中央のジャコバン派を後ろ盾として、サン・キュロットは不満を持つ人びとを攻撃しようとした。

そして、一七九三年八月、ついに反革命派が国民公会に反乱を起こすと、若者はリヨンからの逃亡を試みたものの、反革命派に捕捉されて亡き父親から受け継いだ遺産を没収されたばかりか、反革命軍の兵士として動員されてしまったのである。

さて、今度の若者とはフーリエのことである。

一七七二年四月、フーリエはフランス東部のブザンソンの富裕な商人の家に生まれた。父方に財産があったというだけでなく、それにもまして著名な商人の家系である母方に巨額の財産があった。

封建貴族出身のサン＝シモンほどではないものの、フーリエは裕福な家庭で育った。そして、九歳のときに父親を亡くして、その遺産の五分の二にあたる八万フランを受け継いだという。使用できる基準はさまざまあるわけだが、現代の日本円に換算すると一億円を超える金額のようである。

生きていくために働かなければならないことはわかっているものの、財産のおかげでどうしてもあくせく働かなければならないというわけでもなかった。そもそも商売というものを好んではおらず、むしろ建築や音楽、地理といった分野を修めたいと考えていた。実際、立身出世のために一つのことにがむしゃらに取り組まなければならないというわけではないためか、余裕を持って興味のままに幅広い教養を身につけていくことができたようである。

図3　フーリエの肖像画（制作年不明）

学問を修めたいフーリエは、やがてフランス北部の街シャルルヴィル＝メジエールにある王立軍事工学学校に進学することを計画したものの、結局は入学することができなかった。入学資格が貴族に限定されていたからである。フーリエは進学を諦め、一七八九年ころからは商人としての修業を積むために各地をめぐる生活を送ることになった。

このようにしてフーリエは商人としての知識を身につけていくのだが、実際にはその仕事を嫌っていた。ただし、結局は商人であるのだから、どんなに裕福な家庭で育ったとはいっても、特権を貪る世間知らずの封建貴族のようではなかった。また、市井の中であくせく働かなければならない普通の平民でもなければ、はたまた生活のために学問を積み重ねるような視野の狭い学者でもなかった。

フーリエは自分自身のことをそう考えていたのだろう。やがてあらゆる人間とは異なる独特な視点を持った自分、という意識を持つようになっていったようである。

†憤るフーリエ

そんな各地をめぐる生活の後、一七九一年になってフーリエは絹織物産業で栄えるリヨンで働き始めた。

リヨンにはローヌ川とソーヌ川という二つの川が流れている。フランス北東部のヴォージュから流れてくるソーヌ川に対して、ローヌ川はスイスからレマン湖を経由してリヨンに至る。二つの川はリヨンで合流して、そのまま南下した後に地中海に流れ出ることになる。地中海から見れば、船が遡ることのできるのはリヨンくらいまでである。地中海から運ばれてきた物資はリヨンに集積されて、首都パリなどフランス各地に運搬されることになるため、リヨンはまさに交通の要衝として発展していった。

このようなリヨンについては、「労働者の悲惨さがもっとも顕著に現れる都市」という評価がある。

絹織物産業に従事する、あるいは物資の運搬に従事する労働者に対して、生み出された富は貴族や富裕層によって独占されるわけであるから、きらびやかな絹織物とは資本主義の矛盾を表すと言っても言いすぎではないかもしれない。

だからこそ、同じ平民であるとはいえ、富裕層と貧しいサン・キュロットの対立はパリよりも深刻だったという。そして、フランス革命が勃発すると、サン・キュロットが急進的革命を求める一方で、貴族や富裕層が革命に反対したり、穏健な革命を望んだりしたことから、住民間の対立はさらに激しいものとなっていった。

リヨンで反革命派と革命派の対立が激しさを増す中、一七九三年三月、フランス西部のヴァンデ地方で「ヴァンデの反乱」が勃発した。三〇万人募兵令に反発する農民たちが貴族たちの指導の下で蜂起して政府軍を打ち破り、ヴァンデ地方を支配下に置いたのである。

また、一七九三年八月二三日に国民総動員令が布告されて軍備増強が進んだ結果、フランス軍が各国軍への反撃に成功するようになったものの、その直前にはついにリヨンの反乱が勃発するなど、国内情勢は各地の反乱によってあいかわらず不安定なままであった。

反乱の勃発を受けて、国民公会は約三万人の軍隊を派遣し、リヨン市に激しい砲撃を始めた。その後、一〇月になってリヨンの反革命派が降伏を申し出たのだが、国民公会はリヨンへの徹底的報復を決定して、反革命派の大量処刑やその住居の破壊を実施しただけでなく、さらにはリヨンという名前の抹消さえ企てた。

反革命派の処刑は苛烈なものだった。国民公会側は反革命派をギロチンで処刑するだけでなく、自分で墓穴を掘らせたうえで銃殺したり、大砲で吹き飛ばしたりするなど、これらは処刑というよりも虐殺と形容するべきもので、約二〇〇〇人の人びとが命を落としたという。

異常事態の中で、反革命派の兵士として動員されていたフーリエもまた逮捕されそうになった。しかし、命からがらリヨンを脱出して故郷のブザンソンに帰還できた。そして、このようなひどい経験も原因となって、一八〇八年に刊行する初めての著作『四運動および一般運命の理論』の中で「哲学者たちの無能さ」「彼らの学問などは人間精神の迷妄にすぎない」「文明社会を野蛮状態まで転落せしめた」という文章を残すことになる。

古代ギリシャ以来、人間は哲学を営み、さまざまな思想をこの世界に送り出しながら文明を築いてきたにもかかわらず、啓蒙思想を基礎としたフランス革命が野蛮しかもたらさなかったからである。こうして、古代ギリシャ以来のどんな学者や思想家よりも優れた人間であるとして、フーリエは独特な視点を持った自分という意識をさらに強めるようになる。

同時に、リヨンでの経験はフーリエにとって現実を冷静に観察して考察する機会にもなったと言えよう。

都市というものこそ労働者の悲惨さがもっとも顕著に表れる場所であり、それゆえに政治・経済体制の転覆を目指す運動や陰謀が都市において出現してしまう。そうだとすれば、労働者を中心とした都市の現実を受け止めながら、資本家から労働者に至るまで、それぞれの差異という多様性を持った人間の包摂と共生を実現するにはどうしたらよいのだろうか。

†革命における残虐さ、経営における冷酷さ

リヨンの反乱が鎮圧されそうになっていたころ、九月一七日に国民公会は反革命容疑者法を制定し、自ら革命の敵であると認めた人びとやその疑いのある人びとの逮捕を可能にした。そして、逮捕された無数の人びとが処刑されていった。また、長らく続いていたヴ

アンデの反乱も残酷に鎮圧された。

しかし、恐怖政治にも終焉のときがやってくるのである。恐怖政治によって国内の不満分子が抑え込まれて、国内情勢が引き締められると、人びとが各国軍への勝利のために一致団結するようになった。その結果、フランス軍がやがて各国軍に対して優勢に立つようになると、今度は人びとの緊張状態がにわかに緩み始めていく。人びとは各国軍への勝利のために苛烈な恐怖政治に我慢していただけであるため、あまりにやりすぎた恐怖政治に対して嫌悪感を持つようになった。あらゆる人間が処刑の対象になっている状況では、恐怖政治に我慢できなくなるのは当然だろう。ロベスピエールら指導者を排除しようという動きが見られるようになる。

こうして、一七九四年七月二七日（革命歴テルミドール九日）にいわゆるテルミドール九日のクーデターが発生して、ロベスピエールら指導者が処刑されることで、ついに恐怖政治は終焉した。サン＝シモンは処刑間近で釈放されて、一族の領地のあるフランス北部ソンムに帰っていった。

翌年一〇月には五人の総裁による総裁政府が新たに成立したものの、国内にはさまざまな不満が渦巻くとともに、諸外国の干渉も続き、フランス革命は行方の見えない状態に陥っていた。

一方、このころのフーリエは、猟騎兵隊の一員として現在のドイツ西部ラインラントに駐屯していた。ブザンソンに帰還した後、一七九四年五月に国民総動員令の下で徴兵されたからである。そして、約一八カ月の兵役の後、一七九六年一月に除隊されると、恐怖政治からすっかり解放されたリヨンで営業販売員などとして再び働き始めた。なお、マルセイユなどにも一時的に移り住んだものの、一八〇〇年からはやはりリヨンに定住することになる。


以上のように、フランスでは革命の中で人を人とも思わない残虐な行いが見られた。人間の奪うことのできない権利がいくら高らかに掲げられたとしても、革命の成功の名の下で無数の命がたやすく奪われていったのである。

これに対して、イギリスはどうだっただろうか。

産業革命の中で無数の労働者が長時間労働と低賃金に苦しんでいたのは、人が経営のための道具と思われていたからであって、尊厳を持った人としては見なされていなかったからだろう。

革命における残虐な行いと経営における冷酷な行いは、もちろんまったく異なるものである。とはいえ、人を人として尊重せずもののように扱っているという点では、どちらもが同じように人間の残酷さを表わしていると言えよう。

イギリスでは、オーウェンが一七九三年ごろにドリンクウォーターの下から独立して紡績会社の運営に乗り出した。そして、マンチェスター文学哲学協会といった場所で企業家や学者などと交流する中で、社会問題やその改革について議論するようになっていた。

マンチェスター文学哲学協会の会長であるトーマス・パーシヴァル博士（一七四〇～一八〇四年）は公衆衛生学のさきがけであった。パーシヴァルは一七九四年にマンチェスターで発生したチフスの流行をめぐって、その原因を工場内の不健康で不衛生な状態にあると考え、マンチェスター保健局の設立に動いた。

オーウェンもパーシヴァル博士と協同する中で、労働環境の改善の必要性を強く意識するようになっていったのである。

第二章

ナポレオンのヨーロッパ
——社会の安定を目指して

フランス軍を率いるナポレオン
アントワーヌ＝ジャン・グロ「アイラウの戦い」、1808年

1　ヨーロッパ国際情勢の安定の中で

†新しい力の台頭

フランス革命とその後の戦争はヨーロッパ国際情勢を混乱の渦に叩き込んだものの、イギリスであってもフランスであっても、封建的身分秩序のうち、下の階層に置かれた人びとが新しい力として台頭することになった。

フランスでは、革命によって封建的身分秩序が解体されたというだけでなく、主に平民を中核とした兵士たちこそが対外戦争への勝利を導いた。そうして、これまで抑えつけられてきた平民を中心とした低い階層の人びとのうち、戦争を支える軍人と経済を支える資本家の台頭は著しかった。

たとえば、ナポレオン・ボナパルト（一七六九～一八二一年）は地中海に浮かぶコルシカ島の下級貴族に生まれたにもかかわらず、生まれではなく才能によって、単なる軍人として成功するどころか、やがて一七九九年一一月のブリュメール一八日のクーデターで政権を奪取し、さらに一八〇四年五月にはナポレオン一世としてフランス皇帝に即位することになるのである。

一方、イギリスは新しい技術によって一八世紀半ばから急速な産業革命を経験して、ヨーロッパ域外に広げた植民地から資源を吸収しながら、あるいは植民地を商品の輸出市場としながら経済成長を続け、一九世紀には「世界の工場」としての地位を確立していった。そうした国家にもたらす富の担い手として、資本家層が発言力を持ち始め、政治参加の権利拡大を要求して行動した。

とはいえ、イギリスであってもフランスであっても、結局のところ経済も戦争も支えているのは平民の大多数を占める貧困層であった。こうした人びとが日々の生活の苦しさにあえぎながらも労働にたずさわっていることが、経済の発展を実現するにもかかわらず、その境遇の苦しさは改善されるどころか、悪化する一方であった。

長期のフランス革命戦争によって、多額の戦費調達にともなうインフレーションが発生し、物資不足の中で物価が高騰していたからである。とくに、生活に直結する穀物価格が急騰していた。

だからこそ、オーウェンが経営をとおして実践したように、貧困層の境遇を改善しようという考え方も高まる。同時に、一八世紀から一九世紀に時代が移り変わろうとするころ、フランス革命戦争が終息傾向に入って、ヨーロッパ国際情勢が安定することで、サン゠シモンもオーウェンもフーリエも、革命から約一〇年後に訪れた目の前の現実について落ち着いて考えられるようになったのである。

そして、一八世紀末からのヨーロッパ国際情勢を安定させるきっかけとなった人物こそ、さきほどのナポレオンであった。

フランスでは、一七九四年七月のテルミドール九日のクーデターで恐怖政治が終焉したものの、インフレーションや物価高騰、政府内部の対立などの混乱が続き、周辺諸外国の干渉や旧体制の復活を目指す王党派の活動も活発で、翌年一〇月には王党派によるヴァンデミエールの反乱が発生した。しかし、若きナポレオンの活躍によって、この反乱はあっけなく鎮圧された。

また、恐怖政治下での国民総動員令の布告以来、各国軍に対して優位に立ち始めたフランスは、逆に国外への侵攻を繰り返すようになり、オランダ侵攻によってオランダ全土を占領した。さらに、イタリアのサルディーニャ王国を降伏に追い込むとともに、イタリアに影響力を持つオーストリアを撃破した。各地の戦いでのナポレオンの活躍もあって、フランス革命戦争はフランスの革命防衛戦争から侵略戦争に変化していき、ヨーロッパ大陸にフランスの勢力圏が構築され始めた。このようにして、フランス革命戦争はフランス優位の形で終息傾向に入っていった。

それでも、フランスのアイルランド侵攻はイギリスによって阻止され、フランス側に立ったスペインはイギリスとの海戦で敗北した。フランスがヨーロッパ大陸に勢力圏を構築していくのに対して、イギリスは世界各地への進出を続けて世界の工場としての地位を確立する中で制海権を確保していた。

こうして、イギリス本国とその世界戦略にとって重要な植民地インドとの連絡を遮断することを目的として、一七九八年五月からはナポレオンによるエジプト遠征が開始された。巨大なインドはイギリスにとって、一七世紀以来、綿花や綿製品を中心としたさまざまな製品の供給地であった。イギリスは自国の製品に加えて、インド発の製品をヨーロッパ諸国家に輸出することによって、多くの富を手にしながら産業革命を促進したのである。一八世紀末から一九世紀には、イギリスは技術革新にともなって機械製造の安価な綿製品を逆にインドに輸出するようになり、産業革命をますます進展させていく。

†産業革命下のイギリスで

イギリスのオーウェンは子どものころから培った観察力によって、工場で働く労働者たちを注意深く眺めていた。

彼らは何を考えているのか、そして何を求めているのか。

なぜならば、オーウェンが新たに自分自身の工場の経営に乗り出したからである。それは、フランスでナポレオンが一七九九年一一月のブリュメール一八日のクーデターによって総裁政府を打倒し、ついに政権を奪取したころのことだった。

オーウェンの工場があったのは、スコットランドのグラスゴーの近郊にあるニュー・ラナークという街だった。クライド川という河川のほとりにあるニュー・ラナークは、水力を利用した紡績工場の建設とそこで働く労働者用住居の建設によって生まれた街である。

中世における農業生産の拡大や商工業の発展、資本の蓄積、家内制手工業から工場制手工業への生産手段の進化などをとおして、イギリスで産業発展が進んでいく中で、これを工場制機械工業というつぎのパラダイムに一気に推し進めることになった原動力こそ、水力のような動力を利用した機械の発明であった。こういった発明が進んだのも、一部の人びとの手に資本が大規模に蓄積されるようになっていき、科学技術への投資が行われたからである。

とくに、一六九八年のトマス・セイヴァリ（一六五〇?～一七一五年）、一七一二年のトマス・ニューコメン（一六六四～一七二九年）、そして一七六九年のジェームズ・ワット（一七三六～一八一九年）による蒸気機関の発明と改良は、一九世紀以降、産業革命をさらに大きく推進することになる。

水力を利用した機械とともに、蒸気機関を利用した機械が出現したことで、大規模な生産が可能になったからである。そして、大規模な生産のために、ますます多くの労働力が必要とされるようになった。このような工場ではもはや熟練の職人は必要でなく、増加し続ける労働者が技術を持たなくても、機械のおかげですぐに作業に従事できるのである。

また、一八〇四年には蒸気機関車が発明されて、一八三〇年にはリバプールとマンチェスター間で定期運行の鉄道事業が開始された。それ以降、鉄道が各地に張り巡らされるようになり、ヨーロッパの主要な陸上交通手段となる。

同時に、蒸気船も出現した。風の力によって航行する帆船に対して、スクリュープロペラを備えた蒸気船は安定して航行でき、一八七〇年代以降に主要な海洋交通手段となる。

蒸気船によって物資の大量輸送が可能になっていった。

以上のような交通手段の発展によって、大量に生産された商品がイギリスから世界各地に大規模に輸出されるようになることで、イギリスはますます繁栄していく。

ところで、ニュー・ラナークにやがてオーウェンのものになる紡績工場を建設したのは、デヴィッド・デイル（一七三九〜一八〇六年）という人物であった。オーウェンにとっては妻キャロラインの父、つまるところ義父である。

一七三九年一月、デイルはスコットランドの雑貨商の息子として誕生し、幼少期に手織り工の見習いから職業生活を開始した後、織物用の糸を卸して、織りあがった製品を回収する仕事に従事したという。一七六三年からはクライド川の水運を利用した貿易で栄えるグラスゴーで絹商人の事務員として働いていたが、やがてフランスやオランダからリネン糸を輸入する事業を開始した。

それから二〇年弱、事業が成功した結果、グラスゴーでも有数の商人となったデイルは、蓄えた資金を元手にさまざまな事業に進出するだけでなく、投資を行う銀行家としての顔を持つようになった。そして、一七八三年にはグラスゴー商工会議所の設立に参加するなど、商人たちをまとめるような立場にもなっていた。

ちょうどそのころ、アメリカがイギリスから独立した結果、イギリスがアメリカ大陸産のタバコといった商品を独占することは困難となっていた。グラスゴーはこのような商品をクライド川の水運を利用してイギリス各地に、そして世界各地に輸出することで栄えてきたため、街の経済を活性化させる新しい産業が必要となり、デイルの活躍が期待されていた。

そんなデイルにリチャード・アークライト（一七三二～九二年）という人物が、クライド川の水力を使用した紡績工場の建設案を持ち込んだ。一七六九年に水力を動力とした「アークライト紡績機」を発明した人物であり、イギリス各地で水力を利用した紡績工場を成功させて財を成していたのである。

こうして、一七八六年に稼働を開始したニュー・ラナーク紡績工場は成功を収め、一七九〇年代には一四〇〇人の従業員を抱える大規模工場に成長していたという。

しかし、どんなに商業的に成功を収めたニュー・ラナーク紡績工場であっても、当時のイギリスのその他の工場と同じ問題を抱えていた。子どもを含めた男女の労働者が一日一六時間近くの長時間労働と低賃金に苦しみ、劣悪な環境の中で日々の生活を営んでいたのである。

オーウェンはかつて高賃金を保証するといった労務管理によって、ドリンクウォーターの紡績工場を支配人として成功させた。その一方で、当時の大多数の資本家にとっては利益のために労働者を低賃金で長時間にわたって酷使することが普通であった。

なぜならば、資本家が労働者の境遇に無関心だったというだけでなく、労働をそもそもの苦行であると考え、どんなに貧しくても清く正しく生きる清貧こそ尊ばれるべきで、貧しい人びとを救う必要はないという宗教的な教えが根強く残っていたからである。

†治安維持という意味での救済

中世以来、貧しい人びとを救済するのはキリスト教会の役割であった。また、労働することと清貧であることの重要性を説くキリスト教において、聖職者たちは労働することだけでなく貧しいということも神の御心に沿うものであると考えながら、豊かな人びとに対して積極的に貧しい人びとに手を差し伸べることを説いた。

そもそも『旧約聖書』によれば、神によって創り出されたアダムとイヴはどんな労苦も存在しない楽園で生活していたという。ところが、食べてはならないとされていた禁断の果実（俗説では林檎とされる）を口にしたことによってついには楽園を追われ、労働しなければ生きられない世界で生活することになった。いわゆる「失楽園」である。

それ以来、神の御心に背いた人間にはどんなに貧しくても神の御心に沿うよう清く正しい心を持つことが求められるようになった。労働という苦労は神の御心に背いた人間への罰であって、どんなに労苦の中で生活しようと、人間にとって清く正しい心を持つのは当然の行為であった。

ところが、一六世紀からの宗教改革をきっかけとして、教会を中心とした救貧のあり方が大きく変容した。

一五一七年にドイツで宗教改革を開始したマルティン・ルター(一四八三〜一五四六年)が労働を神聖な義務と説く一方で、物乞いを怠惰の原因として批判したからである(『ドイツ国民のキリスト教貴族に与える』)。

一五四一年にジュネーヴで宗教改革を開始したジャン・カルヴァン(一五〇九〜六四年)もまた労働を神聖な義務とし、新約聖書「テサロニケの信徒への手紙二」に登場するパウロの「働きたくない者は食べてはならない」に賛成しながら、労働しない怠惰な人びとへの救貧活動を否定した(『キリスト教綱要』)。つまり、現代の日本社会でもよく知られる「働かざる者食うべからず」という考え方である。

それまでのキリスト教会（ローマ＝カトリック教会）においては、ローマ教皇を頂点として、聖職者たちが聖書を元にして解釈した神の教えを信徒に説いていたが、ルターもカルヴァンも宗教改革をとおしてこのような従来のキリスト教会を批判するとともに、宗教の教えの源泉を聖書の中だけに求め、信徒それぞれに聖書にだけ向き合うことを訴えた。その結果、彼らは聖書に登場する労働の義務をことさらに強調する一方で、労働しないことによる貧しさを怠惰によるものと見なしたのである。宗教改革によって、それまでのキリスト教会（ローマ＝カトリック教会）に対する批判的なまなざしが強まる中で、どんな状態でも労働しないことを罰しようという考え方が、ヨーロッパに広がっていった。

さて、宗教改革の影響を受けたイギリスでは、人びとが「囲い込み」によって農村を捨てなければならなくなる一方で、労働にありつけないままに浮浪者となる中でも、たとえば国王ヘンリー八世（在位一五〇九～四七年）は浮浪者を含む七万二〇〇〇人の人びとを処刑したという。とはいえ、増え続ける浮浪者をいつまでも処刑し続けるだけというわけにもいかないため、ヘンリー八世は一五三一年の王令によって働ける者と病気などで働けない者を区分して、後者に物乞いを許可したのに対し、前者をむち打ちに処すこととした。

また、一五三一年の王令が一五三六年に成文化されると、ようやく教区ごとに労働不能貧民に対しては施しが実施されるようになる一方で、労働可能貧民には強制労働が課されることとなった。

ヘンリー八世の政策はその娘にあたるエリザベス一世（在位一五五八〜一六〇三年）によって継承されて、一五九七年の救貧法、そして一六〇一年の救貧法（エリザベス救貧法）を実現させた。国家の政策として、教区ごとに救貧税を元手に労働不能貧民が救済されるとともに、労働可能貧民を強制労働に従事させる労役所が運営された。

しかし、これらの救貧政策はやはり貧困層の保護と救済を目的とするものではなかった。浮浪者を処刑したりむち打ちに処したりという方法だけでなく、強制労働に従事させたりという方法も、浮浪者の増大と彼らによる犯罪を防止すること、つまりは治安維持を目的としていたのである。

強制労働を課されるくらいなら、貧困層は逃亡しようと思うものであり、貧困問題の根本的な解決は試みられなかった。

ところで、さきほど触れたように、一八世紀に入っても大多数の資本家たちは労働者の境遇に無関心であり、それまでの宗教的な教えにとらわれてもいた。とはいえ、啓蒙思想の広がりの中で人間の奪われない権利という考え方が広がっていったこともあってか、少しずつ救貧のあり方を改善しようという動きが見られるようにもなっていったことは事実である。

たとえば、一七八二年に庶民院（下院）議員トマス・ギルバート（一七二〇～九八年）が主導してギルバート法が制定され、労役所は強制労働ではなく病人や老人の収容を目的とするようになる一方で、労働可能貧民には自宅において仕事が付与されるようになった。

一七九五年には、バークシャー州スピーナムランドにおいてスピーナムランド制度が導入された。パンの価格から労働者の収入の下限値を算出し、下限値に達しない収入しか得られない家庭には救貧手当を支給するというものであった。アイスランドの火山噴火による食料不足と物価高騰は人びとの生活を脅かしており、その後のフランス革命戦争がこれに拍車をかけていたからである。

また、すでに紹介したように、パーシヴァル博士などは産業革命を支える工場での労働環境の改善の必要性を認識していた。こうして、オーウェンも工場経営にあたって労務管理だけではなく、労働環境や労働者の毎日の生活環境の改善に取り組もうとしていく。

2 実践と思想の共時性《シンクロニシティ》

†オーウェンの決意

一八〇〇年一月ごろ、オーウェンがニュー・ラナーク紡績工場の経営に乗り出したとき、そこには約一三〇〇人の人びとが居住し、さらに四〇〇～五〇〇人の子どもたちがおり、彼らは幼少期から労働することを迫られていた。そして、労働環境も毎日の生活環境もよいとは言い難く、荒んだ生活が続く中で、彼らは窃盗などの犯罪を繰り返し、日々の辛さを忘れるために大量に飲酒するのである。

オーウェンには、紡績工場の労働者たちがただ働かされているだけにしか見えなかった。また、彼らから一切の生気も希望も感じられなかった。

「まさに「統治」が必要だということではないか……」

オーウェンの考えでは、かつてのドリンクウォーターの紡績工場での成功を踏まえるなら、高賃金を保証するといった労務管理は労働者の生産性を向上させるはずである。しかし、それだけではないだろう。工場内を清潔にしたり、労働者用住居を整備したりすることで、労働環境と毎日の生活環境を整備するなら、労働者はますます意欲的に働くようになるのではないか……。

オーウェンはそうした施策を実施することに加えて、労働者の生き方そのものを変えることで性格自体も改善していくことを目指した。労働者が犯罪や過度の飲酒をやめるようにするためである。そうでなければ、労働者は真に救済されないのではないか、とオーウェンは考えたのである。

しかし、オーウェンが労働環境と毎日の生活環境を改善しながら、労働者に生き方を変えようと言ったからといって、労働者がかんたんに自分自身の生き方を変えられるはずがなかった。そもそも労働者にとってみれば変わることの必要性も、変わった後の姿も想像できないのである。

ましてや、ろくでもない環境で大人になってしまった労働者に対してキリスト教の聖職者が道徳を説いたとしても、彼らの性格が改善されることはありえない、とオーウェンは言う。子どものころからそうであったように、オーウェンはやはり宗教に対して厳しい視点を持っている。

オーウェンが労働者の生き方を変えたいと思うのならば、まさに「統治」するがごとく、管理主義（パターナリズム）的なやり方で、そして上からのお達しによって彼らの生き方を変えていかなければなるまい。ただし、管理する側のオーウェンと管理される側の労働者の間に信頼関係がなければ、労働者は厳しく管理されるようになったという認識しか持てず、オーウェンに抵抗してしまう。オーウェンの過度の飲酒をやめようという呼びかけとて、労働者には自分たちの楽しみを奪うものであるとしか理解できないだろう。

そこで、オーウェンは労働者との間に信頼関係を築こうとする。そして、彼らにオーウェンの声に耳を傾けて、管理にしたがうよう促すとともに、生き方を変える必要性を認識させようとしていく。

また、オーウェンは子どもたちの幼少期からの生育環境を整備する必要性も感じていた。オーウェンの考えによれば、「人間は一生をつうじて囲まれる境遇もしくは状態のようになってしまう」からである。最終的には適切な環境にいる子どもたちが適切に教え導かれて大人になるしか、労働者が真に変わることはなかろう、とオーウェンは考えるのである。

†オーウェンの工場改革

管理にしたがってもらうための信頼関係がないのならば、信頼されるようにすればよい。答えは極めて単純である。

しかし、信頼されるようにしたからといって、信頼されるかどうかはわからないはずである。にもかかわらず、オーウェンは信頼される可能性に賭けた。というより、どうもオーウェンという人物は自分自身の理想や目標に疑いを持たないようであり、きちんとなすべきことをなせば他者に納得してもらえる、他者についてきてもらえると思いがちである。

精神的な豊かさを得られる家庭で育った人間というものは、こういう〝性格のいい人間〟に成長できるのであろうか。そうであるなら、労働者を変えるためには子どもたちの生育環境から変えなければならないとするオーウェンの考え方は、まったく間違っていないということにもなる。

オーウェンは労働環境と毎日の生活環境を改善して、さらには労働者の信頼を獲得するための事業として、たとえば小売店を改善した。

このころの工場主が工場や労働者の居住施設などに設置する小売店では、粗悪品が高額

図4　ニュー・ラナーク工場の外観。現在は世界遺産となっている（2009年、mrpbps 撮影）

で売られており、強いアルコールも置かれていたが、オーウェンはよいものを大規模に現金で買うことで安く仕入れて、労働者に原価で提供するようにしたのである。なお、アルコールの販売は禁止されなかったが、購入数が記録されることで、労働者の過剰なアルコール摂取は制限された。

また、オーウェンはすべての労働者の財産を平等にするべきと考えて、必要最低限の同じ設備を持った清潔な住居を彼らに用意した。そして、村の道路を改良して、工場を模様替えし、機械を新式に取りかえた。しかも、子どもの労働が当然のものとされた時代にもかかわらず、オーウェンは子どもの雇用計画を破棄した。

こうした施策の実施に加えて、工場を休業しなければならなくなった際に、オーウェンは労働者の解雇を選択せず、労働者への賃金全額の支払いを継続した。

アメリカが一七八三年にイギリスから独立した後、米英両国間ではなおも摩擦が続いており、一八〇七年にアメリカがイギリスの船舶を抑留して、イギリスへの綿花輸出を停止した結果、オーウェンの工場も操業を停止しなければならなくなった。にもかかわらず、賃金全額の支払いが継続されたことで、労働者はオーウェンを真に信頼するようになった。そして、過度の飲酒をやめて健康状態を改善するなど、労働者が全員ではないもののその生き方を変える中で、工場の生産性は上昇していき、大きな利益が生み出されるようになったという。

もちろん、労働者が経営者を信頼するようになったというのは確かでも、結局のところオーウェンのように経営者が労働者を信頼するということも重要だろう。労働者を信頼するからこそ、経営者は労働環境と毎日の生活環境の改善による効果を否定しないのだろうし、いずれ投資を取り戻せるとも発想するはずである。

さらに、一八一〇年には労働時間の削減を掲げて、オーウェンは一日一〇時間労働を実施した。

また、そのころ子どもの教育の改善にも取り組んでいた。子どもへの最低限の教育であれば、義父デイルも善意から取り組んでいたのだが、オーウェンに言わせれば子どもを苦しめるものでしかなかった。だいたい長時間労働で疲れ果てた子どもが授業を受けても、理解できるわけがないからである。

これに対して、オーウェンは幼児学校（幼稚園）の設置を構想した。オーウェンによれば「人間は一生をつうじて囲まれる境遇もしくは状態のようになってしまう」のだから、性格形成の時期にいる子どもをほったらかしにするのではなく、幼児学校という適切な環境に置くことで教育する必要があるのである。このような幼児学校の設置は金銭的な問題もあって上手く進まなかったが、ようやく一八一六年になって六歳までの子どものための幼児学校に加えて、一〇歳までの子どもたちのための初等学校も設置されることで、二つの学校からなる「性格形成学院」が誕生することになる。なお、夜間に子どもたちの教室を使用して、工場で働く人びとのための「夜間学校」も開設される。

ところで、人間を取り囲む環境を重視して、これを改善しようというオーウェンの発想には、当時の思潮が大きな影響を与えていたという。それはアイザック・ニュートン（一六四三〜一七二七年）の万有引力の法則を基礎とした社会観である。

すでに言及したように、中世以来の科学の発展は新しい技術を創出して産業革命を発生させるだけでなく、キリスト教の権威を失墜させた。また、フランス革命によってキリスト教の権威が完全に失墜するとともに、旧来の封建的身分秩序が完全に解体された。こうして、フランス革命後の大混乱の中で、どのように新しい社会を成立させて、人間同士の関係を調整するかが大きな問題となった。

このとき思想家・哲学者は万有引力の法則に注目した。絶対的で普遍的な万有引力の法則によって一般的な自然が成立し、それぞれ特殊な森羅万象が存在するという事実を踏まえて、新しい一般的な社会を成立させて、それぞれ特殊な人間同士の関係を調整するには、万有引力の法則のような絶対的で普遍的な「なんらかのもの」を発見すればよいと考えられたのである。このような万有引力の法則を基礎とした社会観がヨーロッパ中に広まっていた。

企業家であったオーウェンの場合、万有引力の法則のようななんらかのものとは人間を取り巻く環境だったのだろう。工場改革においても見られたように、人間を取り巻く環境が道徳的に改善されれば人間は変わっていき、人間同士の関係も適切に調整される可能性があるのである。

一方、フランスではサン＝シモンやフーリエがこうした実践を理論的に補強しようとするかのように、思想を紡ぎ出していこうとする。ドーヴァー海峡を挟んで、新しい「社会」をめぐる実践と思想の共時性（シンクロニシティ）が見られるのである。

だからといって、オーウェン、サン＝シモン、そしてフーリエの間につき合いがあったわけではない。西ヨーロッパの一部でそれぞれバラバラに暮らしている三者が、一八世紀末から一九世紀初頭にかけての歴史の大転換の中で似たようなことを考えたり、あるいは実際に行動したりしようとするのである。

†サン＝シモンと万有引力の法則のようななんらかのもの

ちょうどナポレオンがエジプト遠征を実行していた一七九八年初夏、サン＝シモンはモンモランシー渓谷に籠もった。

モンモランシー渓谷は、代表的な啓蒙思想家ジャン＝ジャック・ルソー（一七一二〜七八年）が最晩年を過ごした場所である。そして、そこでなにかに目覚めたのか、サン＝シモンはモンモランシー渓谷から出た後、パリ市内にある理工科大学校（エコール＝ポリテクニック）の近隣に移り住み、優秀な若者たちと交流し、あるいはリセと呼ばれる公開講座の講義を受講して勉学に励むようになった。ナポレオンの活躍によってフランス革命戦争がフランス優位の形で終息傾向に入り、ヨーロッパ国際情勢が安定する中で、フランス各地でリセが再開されるようになっていた。

そんなある日、サン＝シモンはあるリセで問題を起こした。

「諸君、私の話を聴くように！」

ジャン＝フランソワ・ド・ラ＝アルプ（一七三九〜一八〇三年）という作家がリセで講義を行っていたところ、これを聴講していたサン＝シモンが講義後に壇上に上がり、自らの主張を聴衆に聴かせたいと騒ぎ立てたのである。もちろん、サン＝シモンは聴衆に訴えかけることのできる資格を持たず、たとえなにかを訴えたところで、聴衆がそれに耳を傾けるわけはなかっただろう。

こうした行為を禁止されたサン＝シモンは、後日『リセの協会に』というパンフレットを発表した。もちろん、学者でもなんでもないサン＝シモンのパンフレットは、リセにも聴講者たちにもあっさりと無視されてしまった。

　さて、パンフレットの内容は当時のヨーロッパの知的世界の雰囲気を表象したものだった。曰く、個別具体的な学問諸分野が一般形而上学に総合されるべきである。曰く、人類の進歩にとって有効な考え方を発見したなら、すべての人間は男女関係なく開陳するべきである。さらに曰く、ニュートンの物理学研究もすべての人間の協力によって大いに改善されたはずである。

　つまり、すべての人間が個別の学問分野を超えて協同し、一般形而上学というものを創出することで、キリスト教にかわる新しいなんらかのものを中心として新しい「社会」の秩序のあり方を提示せよ、ということである。

　サン＝シモンによれば、一八世紀の啓蒙思想の中でも、『百科全書』によって体系的に整理された学問的知識は、世界のさまざまな個別具体的な物事を理解することには役立つものであった。しかし、フランス革命によって秩序が破壊された後、その時代にふさわしい形で秩序を再建するためにも、個別具体的な視点を超えて秩序の全体を成立させる絶対的で普遍的ななんらかのものを探究することが必要となるという。そして、そのようななんらかのものによって秩序が再建されることで、フランス革命のような大混乱の再びの発生が防止されるという。

結局のところ、サン＝シモンが「なんらかのもの」の中身を明確化していくのは、約二〇年も後のことになる。この時点では万有引力の法則からなんらかのものを見出そうとしているにすぎない。

さきほど触れたように、万有引力の法則によって自然は成立する。そのような自然の中で森羅万象が存在できる。こうした自然秩序を社会秩序に応用するのなら、サン＝シモンによれば、キリスト教の権威が失墜する一方で科学が大きく発展した時代、神にかわって万有引力の法則のような絶対的で普遍的ななんらかのものによって社会が成立するとともに、人間同士の関係が調整されるという。

キリスト教が正当化する封建的身分秩序が崩壊して、平民が新しい力として台頭しながらも、資本家と労働者に二分化される中で、両者を融和させるためにも新しいなんらかの教えのようなものが必要になったということでもある。

さらに、サン＝シモンは万有引力の法則を基礎とした自然秩序とその観察方法を応用することによって、目の前に出現した新しい「社会」の秩序を科学的に探究しようともする。

それは自然科学に対する社会科学の成立であったというだけでなく、社会そのものを探究する社会学の萌芽でもあった。

†サン゠シモン、社会を科学する

フランス革命前の社会とは明らかに異なる社会について、科学的に観察し、その秩序の理想的なあり方を探究したい……。

このような問題意識を持ちながら、不惑を迎えていたサン゠シモンは意気揚々と執筆にとりかかった。こうして、一八〇二年から翌年にかけて、最初の著書『同時代人に宛てたジュネーヴの一住人の手紙』を刊行して以降、一八〇七年から翌年にかけての『一九世紀の科学研究序説』、一八一〇年の『新百科全書』、そして一八一三年の『人間科学に関する覚書』といった複数の著作を執筆することによって、社会秩序を自然秩序とその観察方法から探究し続けるのであった。

これらの複数の著作の内容を踏まえながら、サン゠シモンの自然秩序とその観察方法に基づく社会観をまとめてみよう。

まず、物質には流体（液体・気体）と固体がある。たとえば、同一の条件下において、水が流体であると同時に固体になることはありえない。水が流体であると同時に固体であれば、自然秩序が崩壊してしまう。また、流体と固体が区分されるのだから、人間の脳が固体である身体の各器官に液体である神経（神経液）を発散しているという人間の構造を踏まえるなら、精神と身体も区分されるべきである、とサン＝シモンは考えた。だからこそ、サン＝シモンによれば、人間による社会秩序においても政治権力のような世俗的権力と人間の行動の規範を司る聖職者たちの精神的権力も分離されるべきであるという。

中世ヨーロッパには、神を頂点として、神聖ローマ皇帝が世俗的権力を担う一方で、キリスト教会（ローマ＝カトリック教会）のトップであるローマ教皇が精神的権力を担うという普遍的世界観が存在した。サン＝シモンはさきほどのような流体と固体の区分という考え方に基づいて中世ヨーロッパの社会秩序を肯定的に捉える。そして、フランス革命を中心とした大混乱の原因を自然科学の発展にともなう精神的権力の動揺によるものと考え、社会の安定の実現のために聖職者にかわる科学者の協同を強調する。

つぎに、サン＝シモンは自然科学の観察方法に注目する。科学者は一般的な理論を提示しようとするとき、必ずなんらかの個別具体的で特殊的な現象を実験をとおして観察するだけでなく、逆になにかを実験すれば、そこから理論を提示しようとする。このとき、実験が実証的なら、そこから提示される理論も実証的になり、理論が実証的なら、それに基づく実験も実証的なものになる一方で、実験が実証的でなければ、そこから提示される理論も実証的でなく、理論が実証的でないなら、それに基づく実験も実証的なものにはならないだろう。

サン゠シモンはこのような自然科学の観察方法を新しい「社会」の秩序の観察に応用する。つまり、それぞれ特殊な人びとが封建的であれば、一般的な社会も封建的になり、一般的な社会が封建的なら、それぞれ特殊な人びとも封建的である一方で、それぞれ特殊な人びとが民主主義的であれば、一般的な社会は民主主義的になり、一般的な社会が民主主義的であれば、それぞれ特殊な人びとも民主主義的である、とサン゠シモンは考えるのである。

さらに、サン゠シモンによれば、万有引力の法則のようななんらかのものは一般的なヨーロッパ社会を成立させて、それぞれ特殊な諸国家間の関係を調整するという。そして、諸国家が封建的であれば、ヨーロッパ社会も封建的になり、諸国家が民主主義的であれば、ヨーロッパ社会も民主主義的になるというように、サン゠シモンはやがてイギリスとフランスという民主主義国家の連合の樹立と、そのような英仏連合によるヨーロッパ諸国家での民主主義の実現に向けた改革の必要性を主張することになる。

最後に、サン＝シモンは人間精神の知的進歩にともなう歴史の変容という歴史観を披露する。つまり、ムハンマド（マホメット。五七〇年ごろ～六三二年）によるイスラム教の創始という政治革命の後に幾何学の発見といった科学革命が発生し、イギリスの清教徒革命（一六四二～四九年）という政治革命の後にニュートンによる万有引力の法則の発見という科学革命が発生したように、政治革命と科学革命は交互するというのである。科学的発見によって人間精神が知的に進歩すれば、人間は目の前の政治体制に耐えられなくなって、それを変えていこうとするからである。

だからこそ、一七八九年にフランス革命という大規模な政治革命が勃発した以上、サン＝シモンは一九世紀初頭を一般形而上学の創出という科学革命の時代であると主張する。こうした科学革命の結果として、フランス革命という政治革命を終焉させ、革命による混乱を抑止するのである。

実のところ政治革命が先か科学革命が先かという点については、著作によっていくらかのヴァリエーションが存在する。とはいえ、どちらを先にしようとも、一九世紀初頭の科学革命の時代において科学者の協同が必要であることに変わりはない。

二一世紀に生きるわれわれから見れば、以上のような主張は思わず失笑してしまうものだろう。しかしここには、新しい「社会」の秩序を自然科学に基づいて実証的に見出して、これをしっかりと安定させたいという精神性が表れているのである。

ところで、キリスト教が正当化する封建的身分秩序にかわって、サン＝シモンは人間の平等性を保証するものとして労働を重視する。封建的身分秩序が崩壊した後、すべての人間は基本的に働かなければならないからである。それでも、サン＝シモンの思考の中で労働がどのように捉えられているかは、やはりまだ明確化されなかった。

一方、フーリエはやはり万有引力の法則に注目しながら、新しい「社会」についてもう少し具体的な構想を提案する。

†フーリエの壮大な思想

フーリエは自信に満ちあふれていた。

自分自身の著作が世界を変え、その名を古代ギリシャ以来の悠久の歴史に刻み込むことになることを確信していた。

フーリエは思索を重ねて、ついに一八〇八年四月に最初の著書『四運動および一般運命の理論』を刊行したのである。

思索を重ねれば重ねるほど、フーリエには古代ギリシャ以来の学問のあり方が実につまらなく思えていた。また、リヨンの反乱でさまざまな悲惨な状況を経験しただけでなく、その後リヨンで再び日々の生活を営みながら、「労働者の悲惨さがもっとも顕著に現れる都市」を観察したことで、それまでの学問というものをさまざまな問題を解決できないどころか、問題そのものを引き起こしている原因として考えるようになった。

それならば、自分こそがそれまでの学問を批判的に検討しながら、世界の構造を打ち立てる法則を明確化することで、フランス革命のような大混乱を引き起こさないための理論を発見することができるのではないか……。

こうして、自信に満ちあふれるフーリエは人類とその歴史を俯瞰的な立場から見下ろしながら、つぎのように書いた。

「(人類は)ニュートンとライプニッツによってその諸法則を発見された、物質的運動の部門までしか到達していない」

タイトルにある四運動とは、ニュートンとともにドイツ啓蒙哲学の祖であるゴットフリート・ライプニッツ(一六四六〜一七一六年)によって発見された物質的運動に加えて、社会的運動、動物的運動、有機的運動のことを意味する。

フーリエによれば、人類が存在する宇宙には万有運動という運動があり、これがさきほどの四運動に分類されるという。そして、このような四運動が発見されることで、人類は社会的混沌から普遍調和に移行できる。ところがさきほどの引用のように、偉大なニュートンや偉大なライプニッツでさえ物質的運動、つまり自然秩序のうちの物質を成立させる運動のみ部分的に発見できただけだったという。

すでに紹介したように、フーリエはフランス革命中のリヨンにおける悲惨な経験から、そのような厄害しかもたらさなかった古代ギリシャ以来の哲学者たちの無能さを批判する。フーリエの考えにしたがうなら、人類に普遍調和をもたらす四運動のほんの一部しか発見されてこなかったのだから、フランス革命とその後の大混乱という社会的混沌が発生するのは当然であって、これを収めるためには四運動のすべてを発見しなければならないということになろう。

そこで、物質同士の間に万有引力の法則が作用するということから、フーリエは人間同士の間に存在し、人類の社会を成立させる社会的運動の法則を「情念引力（および斥力）」と呼び、これを発見したと宣言する。そして、フーリエによれば、四運動の間にはアナロジーがあるため、社会的運動の法則としての「情念引力」が発見されたのだから、人類は宇宙のあらゆることを把握できるようになり、四運動の統一によって、ようやく社会的混沌から普遍調和に移行することができるかもしれない。

このような「情念引力」とは、人と人を結びつけたり突き放したりするさまざまな感情のようなものの作用であると言ってよいだろう。

そもそもフーリエの考えでは、人間の情念は五つの第一基本情念（味覚・触覚・視覚・聴覚・嗅覚）、四つの第二基本情念（名誉・友情・恋愛・家族愛）、三つの第三基本情念（複合・移り気・密謀）の合計一二種類の情念からなるという。そして、こうした情念を持った人びとが協同体の中に正しく組み込まれると、互いの間の「情念引力」の作用によって、一つの調和に向かっていくのだという。

読者においては、以上の内容を読んでもなんだかよくわからないだろうと思われる。フーリエはこういう一読しただけではわからないことを書く人物なのである。フーリエはそのような「情念引力」によって成立する新しい「社会」の秩序を構想しているため、後ほどこれを検討しながら「情念引力」の働きに迫ってみよう。

さて、サン＝シモンの場合、普遍的な運動とは万有引力の法則である。フーリエの場合は、万有引力の法則を超えるもっと普遍的な万有運動と呼ばれる運動が存在すると考えられている。このように、両者の思考には差異がある。しかし、なんらかの普遍的な運動が宇宙や自然を成立させていると考えるだけでなく、万有引力の法則のようななんらかのものが社会を成立させると捉えるとともに、さらにはそれまでの経験から再度の革命を防止することを望む点で、両者の思考には共通性もあるのである。

†フーリエが語る人類の歴史

サン＝シモンとフーリエが互いにバラバラに暮らしながらも、似たようなことを書き残したのは、一九世紀初頭の精神性によるものと言ってよいだろう。フランス革命による破壊の後、かつてのひどい経験を念頭に置きながら、社会秩序の再建を目指そうとするとき、そのための構想にはしっかりとした理論的な土台が必要となる。こうして、サン＝シモンもフーリエも、人間とは違って揺らぐことのない自然科学上の事実の中に理論的な土台を求めたのである。

しかも、フーリエにおいては、自分こそがこうした作業に取り組むことができる存在だと信じられている。封建貴族でもなければ、市井の中であくせく働いて学問を身につけるひまもなかった平民でもなく、はたまた学者でもない、世の中のあらゆる立場の人間とは異なる存在、あるいは別格の人間であると、フーリエは自分自身のことを見なしていたようである。「情念引力」をも発見した点で偉大なニュートンや偉大なライプニッツよりも優れていて、ものごとを俯瞰的に観察できる真の教養を持った特別な人間であるという自信がにじみ出ているのである。

ところで、『四運動および一般運命の理論』というタイトルのうち、「四運動」とはさきほど説明したとおりであるが、残りの「一般運命」とは何であろうか。

フーリエによれば、人類は歴史のうちのたったの一六分の一しか経験できていないという。つまり、フーリエは人類の運命を八万年におよぶものと定義して、一九世紀初頭の今という時代を約五〇〇〇年経過した時点であると規定することで、社会的運動の推移という今後の七万五〇〇〇年におよぶ人類の運命を描き出そうというのである。

八万年におよぶ人類の運命は、大きく四つの段階に分けることができるという。五〇〇〇年の第一段階としての「幼年または上昇不統一」、三万五〇〇〇年の第二段階としての「生長または上昇結合」、三万五〇〇〇年の第三段階としての「衰退または下降結合」、そして五〇〇〇年の第四段階としての「老年または下降不統一」である。

第1段階　幼年または上昇不統一　5000年

第1期劃　混成セクト
第2期劃　未開
第3期劃　家長制
第4期劃　野蛮
第5期劃　文明
第6期劃　保証
第7期劃　粗成セクト

第2段階　生長または上昇結合　35000年

第8期劃　単純結合セクト
｜
［中略］
｜
第16期劃

第3段階　衰退または下降結合　35000年

第17期劃
｜
［中略］
｜
第25期劃　単純結合セクト

第4段階　老年または下降不統一　5000年

第26期劃　粗成セクト
第27期劃　保証
第28期劃　文明
第29期劃　野蛮
第30期劃　家長制
第31期劃　未開
第32期劃　混成セクト

図5　フーリエが構想する歴史の運命

育つという上昇段階から老いるという下降段階へ至る流れからは、人間の運命のような図式を見て取ることができるだろう。そして、フーリエによれば、人類はちょうど第一段階から第二段階に移行しようとする過渡期に存在するという。

さらに、図5からわかるように、第一段階は七つ、第二段階と第三段階は九つ、第四段階はまた七つの期劃《きかく》に分類されている。

人類は第一段階の中で幸福な時代から不幸な時代に移行した後、第一段階の終わりから第二段階の始まりによって再び幸福な時代に移行する一方で、俯瞰的に見れば第一段階と第二段階という成長期から第三段階と第四段階という衰退期に移行し、やがて滅亡することになる。

さきほど触れたように、フーリエによれば、一九世紀初頭とは第一段階から第二段階に移行しようとする過渡期であった。このような一九世紀初頭とは、そもそもフランス革命という不幸な時代の直後であるわけで、フーリエの思考の中で歴史の過渡期と捉えられたのは当然であっただろう。

†フーリエのファランジュ構想

『四運動および一般運命の理論』によれば、「情念引力（および斥力）」の作用によって成立する新しい「社会」の秩序とは、「ファランジュ」という名の農業協同体（農業組合）である。そして、このような「ファランジュ」の構想によって、「情念引力」の働きについて把握することができるだろう。

「ファランジュ」は、古代ギリシャにおいて集結した歩兵集団のことを意味したファランクスを語源とする。歩兵集団のように、個別に耕作する複数の村落の人びとを一つの産業協同体として集結させるならば、協同によってそれまでよりも莫大な利益を生み出せるだろうという。

また、人間同士の間に「情念引力」が作用することで、このような「ファランジュ」が成立するというとき、われわれはこれをもっぱら愛情や友情のようなものと捉えてしまうが、フーリエの考えではそれだけにはとどまらないのである。

さて、フーリエによれば、農業協同体には八〇〇人の人間が必要であるという。協同体のメンバーが「競争心、自負心、その他利益と相容れるさまざまな媒介をつうじて、労働に誘われる」ようになって、自然的ないしは誘引的に農業協同体を結成するためには、立場の異なる多様性を持った八〇〇人という人数が適当だそうである。

自然的ないしは誘引的とあるように、フーリエによれば八〇〇人という人数であれば、人間は競争心や自負心といった情念によって協同体を破壊するのではなく、協同体を維持しようと動くという。

そもそも八〇〇人という数字が妥当かどうかは読者の判断次第である。筆者の個人的な意見を書くならば、二桁程度の人数だと全員の顔と名前が完全に一致してしまうため、つながりが濃くなりすぎることで、メンバー間の対立が激しさを増しそうな気がする。一〇〇〇人をはるかに超えるとなると、全員の顔も名前もわからなくなって、メンバー同士のつながりが薄くなってしまうことで、メンバーがバラバラになってしまう気がする。八〇〇人くらいが適当かもしれない。

いずれにしても、「情念引力」をめぐって実に興味深いのは、フーリエが競争心や自負心といった情念について協同体を破壊する要因ではなく、維持する要因として認識している点である。

確かにフーリエの考えのとおりかもしれない。協同体の存続に必要な生産活動を実現しようとするならば、人間が競争心や自負心によって他者よりも多くの利益を求めようとして、労働しようと自発的に思うことが必要だからである。どうもわれわれは競争心や自負心といった情念について集団を乱すものとして簡単に否定しがちであるが、人びとが労働して利益を求めようとしなければ協同は生まれないわけである。人間の社会というものは決して単純にはできていない。

とはいえ、メンバー同士の無秩序な利益追求による利害対立はどうしても起きてしまう。これについて、フーリエは「富と快楽を餌にして」調整できると考える。もっとも強い情念は利得への愛だからだという。

つまり、農業協同体においては、メンバーが均等な機会で労働して富の総量を増大させ、貢献に応じて十分な量の富を受け取れることがわかっているのだから、十分な量の富に対して快楽を感じることはあっても、最終的に格差に対して不満を持つわけはないというのである。逆に、わずかな富しか存在しない状態で、それが不公平に分配されるならば、利得への愛が満たされないメンバーはどうしても不公平さと不十分さに不満を持つだろう。

競争心や自負心といった情念によって個人間に競争が発生するため、無秩序な利益追求と利害対立の調整は必要だが、競争心や自負心といった情念がメンバー間の協同を生み出して生産に寄与する点では社会を維持し、社会に調和をもたらすものとして捉えられている。

このように、競争心や自負心も含めて、八〇〇人の人間同士の間に働くさまざまな情念のおかげで、人は労働するよう引きつけられ、互いに結びついて協同するように促される。まさに、「情念引力」の作用によって、調和のとれた一つの協同体が成立するのである。

こうして、フーリエ自身は協同と競争という対立関係にあるものを組み合わせて、「協同社会的競争（concurrence sociétaire）」という言葉さえ登場させる。

一九世紀初頭のような産業の黎明期においては、労働をとおした経済の発展と拡大による富の総量の増大が強く信じられた。実のところ、経済の発展と拡大による富の総量の増大は絶対的ではないものの、膨大な富を持つ先進国とほとんど富を持たない最貧国を比較したとき、そこには生産力の圧倒的違いがあり、生産すれば富の総量が増大するというのはやはり一つの動かしがたい基本的な事実であるとも言えよう。

それゆえ、最貧国においてはきちんと生産できる体制を整えることが必要である一方で、先進国においては貧富の格差の縮小のために、あるいは人びとの対立の抑制のために、膨大な富を十分に人びとに分配することが必要である。もちろん、富の分配はかんたんには進んでいかない。だからこそ、人びとを結びつけて、そのような分配の意識に導くためにも、サン＝シモンもフーリエも万有引力の法則のようななんらかのものを見出そうとするのである。

また、すでに何度か触れたように、キリスト教において労働とは苦行にすぎなかった。キリスト教の権威が失墜した一九世紀初頭、サン＝シモンもフーリエもキリスト教にかわるなにかを探究しようとしたとき、万有引力の法則のようななんらかのものを見出そうとするだけでなく、どちらもが労働に注目したのである。

3 社会の理想を描く

†名声を獲得していたオーウェン

サン＝シモンもフーリエも意気揚々と自説を展開したものの、世間から黙殺された。著書を発表したからといって、両者とも注目されたわけではなかった。

自分こそがフランス革命で破壊された秩序を再建するためのなにかを発見してみせると意気込んだところで、何者かもわからない人間の著書がすぐに多くの人びとに読んでもらえるということはないのである。

一方、オーウェンの名前は広まっていた。経営実践の中での工場改革とその成功という、動かぬ証拠があるからである。そして、それまでの経営実践の中で培った考え方をまとめようと、一八一三年から翌年にかけて『社会にかんする新見解』という論文を刊行するに至った。

冒頭で「適切な手段を用いることによってどのような一般的性格でも……（中略）……どんな社会にも、世界全体にさえも、与えることができる」と書くように、オーウェンが『社会にかんする新見解』の中でもっぱら議論したのは、工場経営論というよりも、むしろ子どもを適切な場所に置くことで適切に成長させるという教育論であった。

もちろん、大人であっても過度の飲酒をやめて健康状態を改善するなど、生き方を変えることができるというのは、オーウェンの経営実践の中でも証明されていた。どんなにオーウェンの考え方を批判しようとしても、事業の成功という動かしがたい事実があった。

ところが、フーリエはたまたま知ったオーウェンの考え方に納得できなかったようで、一八二二年に刊行された二冊目の著作『家庭的農業的協同体概論』の中でこれを批判するのである。

サン＝シモン、オーウェン、フーリエという三者の間につき合いはなかった。とはいえ、サン＝シモンもフーリエも、オーウェンについての情報を耳にする機会はあっただろう。労働者の保護を考えながら事業を成功させた人物はかつていなかったはずであり、人びとの間で話題になったりすることがあっただろうからである。

フーリエの『家庭的農業的協同体概論』の刊行はオーウェンの『社会にかんする新見解』の刊行から約九年後のことであった。フーリエ自身の最初の著作『四運動および一般運命の理論』の刊行からは約一四年も経っていた。

つぎの著作と呼べるものを刊行するまでに約一四年の月日が流れてしまったほどに、『四運動および一般運命の理論』への人びとの無反応によって、フーリエは意気消沈してしまっていたのである。著作を刊行すれば、よほど人びとに受け入れられると思い込んでいたのだろう。

そんなふうにして著作の刊行をやめてしまったフーリエは、一八一五年末にリヨンを離れて、スイス国境に近いタリシュー村で実姉の子どもたちの家に身を寄せて生活を送るようになった。そのようにして各地の親戚の家を転々としているうちに、ようやくまたものを書くようになっていったという。

そして、このような時期に書かれた草稿が、一八二二年に『家庭的農業的協同体概論』として刊行された。実のところ『四運動および一般運命の理論』が世間的に無視されたといっても、なにかを刊行すれば誰かに読まれることはあるのであって、フーリエにも少数の読者がついた。彼らは「ファランジュ」の構想に興味を持ち、それを社会改革に寄与するものと捉えたのである。『家庭的農業的協同体概論』の刊行には、そうした読者の協力があった。

†フーリエとオーウェンのすれちがい

フーリエのオーウェン批判について見ていこう。

〝当時の政治や経済、社会の状況を時間に沿って追いながら〟サン＝シモン、オーウェン、フーリエの道程をたどるという本書の構成にとって、一八二二年刊行の『家庭的農業的協同体概論』をここで登場させるのは少し早いわけだが、三者の共時性（シンクロニシティ）を知るためにもその内容について今触れておきたい。

フーリエによれば、まずニュー・ラナークの人数が過剰である。つぎに財産の平等性が政治的に有害である。そして、第三に農業の不在が問題である。さらに、ニュー・ラナークが協同社会的ではない。

『四運動および一般運命の理論』において、フーリエは人口八〇〇人の農業協同体を構想する一方で、『家庭的農業的協同体概論』においては四〇〇人から一五〇〇人の間で人数に基づいたさまざまな集団の形態を示しながら、農業協同体を構想する。なお、人口については、どんなに多くても一六〇〇人から一七〇〇人であるという。つまり、三〇〇人以下、あるいは一八〇〇人以上の農業協同体は成り立たないということになる。

また、そのような農業協同体のうち、一五〇〇人から一六〇〇人の大規模な農業協同体は六〇〇万平方トワーズ（一トワーズは約一・九四九メートル）の広さの土地を必要とし、美しい川を持っていて多様な農作物を栽培でき、森と背中合わせで大都市から遠くない……といった特徴を備えなければならない。

これに対して、フーリエが知ったところによれば、このころの「オーウェンの指導に委ねられていたイギリスの施設」の人口は三〇〇〇人であったという。ニュー・ラナークの場合であれば、一三〇〇人の成人男女と四〇〇～五〇〇人の子どもを抱えていた。いずれにしても、オーウェンの施設の人口はフーリエの構想を超えてしまうのである。

つぎに、フーリエの農業協同体では均等な機会の下で、労働者が競争心や自負心から競い合いながら十分な量の富を受け取れるため、これはオーウェンの構想の中で重んじられる工場の労働者に対する財産の平等とは相容れない。フーリエは完全平等な協同体を志向しないのである。

企業家として貧困にあえぐ労働者を目にしていたオーウェンは、その労働環境と毎日の生活環境を改善しようとする中で、労働者同士の財産上の平等を重視しながら、彼らに必要最低限の同じ設備を持った清潔な住居を用意した。オーウェンにとって、人びとは平等であるべきだからである。この後、オーウェンは資本家と労働者の間の平等も実現することを目指すようになるほどに、労働者の悲惨な境遇、そして資本家と労働者の貧富の格差という現実に対して強く憤っていた。

一方で、フーリエはこうした平等を協同体の活力を奪うものと捉える。人びとにはもともとの立場の違いや能力などの差があるわけだから、それぞれの生産に対する貢献が異なるからであろう。働いているというだけで同じ財産を受け取れるのではなく、貢献に応じて財産を受け取れるのでなければ、人は競争心や自負心を高めてもっと生産に貢献しようなどと思わなくなるのは当然である。『四運動および一般運命の理論』でも言及されたように、人の持つ競争心や自負心は協同体の維持に不可欠である。

また、すでに触れたように、フーリエは「ファランジュ」のメンバーの多様性を重視する。「ファランジュ」には富裕層から貧困層までさまざまなメンバーが存在するのである。競争心や自負心が人びとの間に差異をもたらし、富裕層から貧困層までさまざまな人びとが生まれるからであろう。競争心や自負心が協同体の維持に必要であるように、その結果として生まれる多様性もまた協同体の維持に必要になる。

ただし、オーウェンはニュー・ラナークにおいて財産の平等を重視しながら労働者用住居を整備したものの、賃金については労働者の貢献に応じたもので、平等ではなかったという。フーリエはニュー・ラナークでのオーウェンの取り組みについてしっかりとは把握できていなかったためか、オーウェンに対して若干ずれた批判をぶつけてしまったと言えよう。

もちろん、オーウェンが人びとの平等を重視しながら、やがて資本家と労働者の貧富の格差の改善を目指すようになる一方で、フーリエが人びとの平等に懐疑的な立場をとり、さきほどのように資本家と労働者の差異も含めて多様性を重視し続けるのは事実である。

†労働者、なぜわれわれは働くのか

さらに、フーリエは農業を協同体の基礎として考える一方で、製造業を「農業の機能を引き継ぐ」ものでしかないと見なす。

フランスでは本格的な産業革命がまだ始まっていなかったため、製造業よりも農業が重視されたのであろう。また、そもそもフランスでは農業を重視する重農主義が人びとの経済観に大きな影響を与えてきた。

すでに紹介したように、重農主義はあらゆる富を生み出す源泉としての土地、そして土地を基盤とする農業を重視し、その生産性を高めるために経済活動を自由に行わせようとする立場をとった。産業革命黎明期の一九世紀初頭という重化学工業がまだ登場していない時代の状況では、農業において原材料の生産が増大するからこそ、製造業において製品が増大するわけだから、富を増大させたいのなら農業こそを重視しなければならないということになる。富の増大を重視するフーリエにとって、協同体の基礎とはまずは農業であるべきだったのだろう。

なお、後で確認するように、フーリエが『家庭的農業的協同体概論』を刊行する約五年も前に、オーウェンは農業を中心とした労働協同村を構想していた。しかし、他者を介して中途半端に情報を手に入れたことや、オーウェンに対する工場経営者という先入観を払拭できなかったことなどを原因とするのだろうか、フーリエはやはりオーウェンの構想について十分に把握できなかったようである。

さて、最後に協同社会的ではないという点について、フーリエはニュー・ラナーク紡績工場の管理主義的なやり方を批判する。

オーウェンにとっては、経営者として上からの施策によって、子どもを中心として労働者を取り巻く環境を整備することがその性格の改善につながり、工場の生産性を高めるものであったが、フーリエにとっては、労働が自然的で誘引的でなければならなかった。みんなが労働したいと思うようになるように、労働が人びとを引きつけるものでなければならなかったのである。

もちろん、オーウェンが経営者として労働者の苦境という目の前の現実を改善したかったのに対して、フーリエは来るべきこれからの社会の理想を構想しているわけで、両者の見ているものは大きく異なる。

とはいえ、オーウェンのような経営実践が他者にも取り入れられることによって、イギリスだけでなくヨーロッパの、あるいは世界中の企業において労働環境と毎日の生活環境が大きく改善され、労働者の性格もまた大きく変化したとき、管理主義（パターナリズム）的なやり方がいつまでも通用するわけはないだろう。経営者が一方的に労働者の性格を否定して、労働者の管理を必要だと考え続けても、それがむしろ企業の生産性を阻害するものになることは十分ありえる。

そもそも一九世紀初頭に比べて、労働者を取り巻く環境も教育制度も、ありとあらゆるものが大きく変化した二一世紀の先進国においてはどうであろうか。このような時代にこそ、フーリエが論じるような労働の魅力という視点が本当に意味を持ち始め、われわれはなぜ働くのか問われているように思われるのである。

†ヨーロッパ国際情勢の変転

オーウェンが『社会にかんする新見解』を刊行したころ、ヨーロッパ国際情勢は変転し始めていた。

一八一二年五月からのロシア遠征にフランスが失敗し、皇帝ナポレオン一世がロシアからフランスに命からがら逃げ帰ったのである。イギリスやロシアなどは対仏大同盟を結成して、フランスへの反抗を開始した。

ここで、ナポレオンの敗北に至る歴史的経過を振り返ってみよう。

ナポレオンは一七九九年一一月にブリュメール一八日のクーデターで総裁政府を打倒して、三人の統領政府を樹立すると、第一統領として権力を掌握し、ヨーロッパ諸国家との戦争に勝利し続けた。まさにナポレオン戦争の時代が始まった。

一八〇四年五月にはナポレオン一世としてフランス皇帝に即位し、第一帝政を発足させた。皇帝という超越的な立場になることで、対立し続ける王党派と共和派といった国民各層の上に君臨するとともに、フランス革命以来のさまざまな対立に終止符を打つことになった。

そして、一八〇五年一二月の三帝会戦でオーストリアとロシアを撃破した後、神聖ローマ皇帝フランツ二世（在位一七九二～一八〇六年）は退位を表明し、〝神を頂点として、世俗的権力を神聖ローマ皇帝に、精神的権力をローマ教皇に〟という中世以来の普遍的世界観が消滅した。中世以来の普遍的世界観にかわって、ヨーロッパ大陸にはフランスを中心とした巨大な勢力圏が出現したのである。

さらに、ナポレオンは反フランスを堅持するイギリスを孤立させ、ヨーロッパ大陸の経済秩序から切り離すために、一八〇六年一一月に大陸封鎖令を発布して大陸諸国家に遵守させようとした。

ところが、産業革命によって繁栄するイギリスはヨーロッパ諸国家の重要な貿易相手国であり、イギリスの孤立化によってヨーロッパ諸国家こそが経済的に疲弊してしまったのである。大国であるとはいえ産業革命をまだ経験できていないフランスでは、ヨーロッパ諸国家を経済的に支えるのは不可能で、ナポレオンに対する反発がそれまで以上に強まった。

イギリスにとっては、大陸封鎖令が保護貿易策として作用した。当時のイギリスは穀物輸入国だったため、大陸封鎖令によって穀物輸入が滞ったことで、イギリス国内の穀物価格が上昇していき、地主層や一部の農民層が多くの利益を手にできたのである。その一方で、労働者を中心とした貧困層は穀物価格の上昇によってますます困窮することになった。

また、イギリスはフランスの動きに対抗して、フランスと他国の関係を妨害しようとし、中立国アメリカとヨーロッパ諸国家の貿易関係を遮断した。国際法上、どの国家の領海でもない公海はすべての国家に対して自由な航海のために開放されているものの、イギリスは公海自由の原則を侵害してまで、アメリカの貿易を妨害したのである。

このような妨害の結果として一八一二年六月にはついに米英戦争が勃発し、イギリスはアメリカ首都ワシントンDCを一時的に占領できたものの、最終的にはアメリカに敗北してしまうことになる。なお、世界史的に見るなら、アメリカ独立戦争によって独立したアメリカは、米英戦争によって経済的にもイギリスから自立できたとされている。

さて、大陸封鎖令がヨーロッパ諸国家の離反を招きかねない状態を引き起こして、フランスの求心力を低下させるだけでなく、一八〇八年のスペイン・ポルトガルへの侵略のころから、フランスに軍事面での陰りが見え始めた。スペインでは民衆がゲリラ戦を展開してフランス軍に大きな被害を与えたのである。さらには、ヨーロッパ国際情勢の変転にとって決定打になったのは、一八一二年五月からのロシア遠征であった。

ナポレオン一世はロシアの大陸封鎖令違反を根拠として、オーストリアやプロイセンも巻き込んでロシア遠征を開始し、一時は旧都モスクワを占領したにもかかわらず、最終的に敗北した。しかも、遠征軍の撤退が始まった一〇月にはロシアの厳しい冬が始まったこともあって、凍死者や餓死者が続出し、遠征開始時に七〇万人だったフランス軍を中心とした遠征軍はついに壊滅してしまうのである。

ロシア軍は撤退するフランス軍を追撃し、オーストリアやプロイセンはフランスから離反した。その後、ナポレオン一世はフランス軍を立て直して、一八一三年一〇月にはライプツィヒの戦いでロシア・オーストリア・プロイセン・スウェーデン軍と対決したものの、やはり敗北に追い込まれた。

つぎつぎと戦場からパリに逃げ帰ってくるフランス兵たち。

フランス帝国の崩壊が目前に迫っていた。

†万有引力の法則とヨーロッパの平和

サン＝シモンは久々に興奮していた。

目の前で起きていることに熱狂しやすい性分だったというだけでなく、フランス帝国の崩壊という事態が自分の構想を大いに役立てられる機会だと認識していたからである。まさに、時代が自分を必要としているということを感じていたのである。同時に、自分の存在を広く人びとに知らしめるためにこの機会を逃してはならないとも思っていた。

人びとの無反応によって意気消沈した結果、著作の刊行をやめてしまったフーリエに対して、サン＝シモンはさらにいくつかの著作を刊行することで、自分の存在を世間に知らしめようとし続けてきた。その結果、書いたものが新聞の書評に載るなど、サン＝シモンの名前はそれなりに広がっていたようである。そして、ついに自分をフランス史上最大の思想家にするための千載一遇の機会を手に入れたと勇み立った。

こうして、一八一三年末にサン＝シモンは『万有引力の法則に関する研究――イギリス人に航海自由を認めざるをえなくさせる方法』という論考をナポレオンに送った。しかも、ナポレオンに自分の存在を認識させて確実に論考を読んでもらえるよう、「サン＝シモン公爵の縁戚」と署名したのである。

サン＝シモン公爵とは、ルイ一五世の治世下で摂政顧問を務めた人物で、当時のフランスでは広く知られていた。現代フランスにおいても、サン＝シモンと言えば本書の主人公の一人である伯爵よりも、公爵の方が想像されがちかもしれない。もちろん、「サン＝シモン公爵の縁戚」という署名があったからといって、敗戦によって追い込まれていたナポレオンがいちいちサン＝シモンの論考に目をとおしたとは思えない。

さて、万有引力の法則が自然秩序を成立させるとともに、森羅万象を存在させるように、サン＝シモンにおいては万有引力の法則のようななんらかのものが社会を成立させて、人間同士の関係を調整するという発想があった。サン＝シモンはこうした発想から、ヨーロッパ国際情勢を安定させる方策を構想しようとしたのである。『万有引力の法則に関する研究』というタイトルには、まさに自然秩序とその観察方法を応用して社会観を構築するという姿勢が明確に表れていると言えよう。

サン＝シモンはこのような論考の中で二つのことを提案する。一つ目はフランス軍の占領地からの撤退、二つ目はヨーロッパ社会の再組織についての論文コンクールの実施である。

一つ目は単純な話である。つまり、フランスが占領地からの撤退という形で譲歩すれば、イギリスだって公海自由の原則を遵守するようになるはずだということである。そして、この提案にあたって、サン＝シモンはナポレオンに対して偉大なシャルルマーニュのような役割を果たすべきだと主張した。

シャルルマーニュ、日本ではカール大帝（西ローマ皇帝在位八〇〇～八一四年）という名前で知られる。ゲルマン民族系王朝であるフランク王国を率いて西ヨーロッパを中心に巨大な領土を築き、八〇〇年にはキリスト教会（ローマ＝カトリック教会）の守護者として、ローマ教皇からローマ皇帝（西ローマ皇帝）の冠を授けられた人物である。

世界史的には、シャルルマーニュの戴冠によってキリスト教、ゲルマン民族、ギリシャ

＝ローマ文明が融合することで、ヨーロッパ世界が誕生したとも言われる。そして、これ以降、〝神を頂点として、世俗的権力を神聖ローマ皇帝に、精神的権力をローマ教皇に〟という普遍的世界観が出現することになった。

サン＝シモンにとっても、万有引力の法則のようななんらかのものによって社会が成立するという発想から、シャルルマーニュの戴冠こそがキリスト教の下で一体性を持ったヨーロッパ社会の成立を意味する出来事と捉えられた。とはいえ、サン＝シモンによれば、自然科学の発展と人間精神の知的進歩、ルターの宗教改革などによって、キリスト教の権威が失墜した結果、中世ヨーロッパ社会は崩壊したという。

中世ヨーロッパ社会の崩壊こそがフランス革命勃発以降の大混乱の原因になったと考えるなら、平和と安定のためには一体性を持ったヨーロッパ社会を再組織すればよいということになろう。かつての中世ヨーロッパ社会を新しく近代にふさわしいものに組織し直すという意味で、サン＝シモンは「再組織」という表現を使用する。

だからといって、サン＝シモンの考えでは、ナポレオンはフランスという特殊的な国家の元首にすぎないため、ヨーロッパ社会全体の元首にはなりえない。平和と安定のためにヨーロッパ社会を再組織するには、まずはナポレオンがフランス軍を占領地から撤退させるなど、フランス皇帝にふさわしい対応をしなければならないのである。ナポレオンよりもヨーロッパ社会全体にふさわしい元首がいるということでもあろう。

†英仏連合の模索

では、中世ヨーロッパ社会にとってのキリスト教のように、近代ヨーロッパ社会にとって諸国家の関係を調整するものとは何なのだろうか。結局のところ、論考のタイトルにあるように、万有引力の法則のようななんらかのものということは理解できようが、サン＝シモン自身はあいかわらずこれを明確化できていないのである。

それゆえ、論文コンクールを実施するという。国籍を問わず、全ヨーロッパ人、さらには地球上の全住民が論文コンクールに参加して、ヨーロッパ社会の再組織のための優れた構想を提案するのである。

このときサン＝シモンが論文の審査員として、フランス皇帝（ナポレオン一世）、オーストリア皇帝（フランツ一世）、イギリス摂政王太子（後の国王ジョージ四世（在位一八二〇〜三〇年））を選んでいることに注目しよう。オーストリア皇帝家、つまりハプスブルク家は長らく神聖ローマ皇帝の地位をほとんど世襲してきたため、こうした論文の審査には責任があると言えよう。同時に、サン＝シモンがイギリスとフランスの協力を重視していることが重要である。

一八一三年の『人間科学に関する覚書』でも問題視するように、サン＝シモンによれば、キリスト教という中世ヨーロッパ諸国家の絆が毀損されたことによってもたらされた損害はさまざまあり、その中でもヨーロッパ大陸にとっての災難とはイギリスの離反であったという。『万有引力の法則に関する研究』に「イギリス人に公海自由を認めざるをえなくさせる方法」というサブタイトルがつけられたとおり、ヨーロッパ大陸から離反したイギリスは大国に成長する中で制海権を確保するとともに、公海自由の原則を侵害してでもフランスに対抗しようとし、その結果として米英戦争が勃発するに至った。英仏間の対立は長らく国際関係にとっての最大の不安定要因であり続けたのである。

そのように考えるなら、産業革命によって経済大国となったイギリスとヨーロッパ大陸側の大国であるフランスが協力しなければ、ヨーロッパの平和と安定は創出されないはずであり、ヨーロッパの平和と安定のためにはイギリスをヨーロッパ大陸側に復帰させるためのなにかが必要となろう。

『万有引力の法則に関する研究』の発表以降、ヨーロッパ国際情勢が大きく変転していく中でサン＝シモンは自然秩序とその観察方法の社会への応用という視点に立って具体的な構想を披露するようになる。

一八一四年初めにはついに各国軍がフランス国境を越えてしまい、パリ陥落が目の前に迫っていた。そして、四月にはナポレオンが退位して、地中海に浮かぶエルバ島にエルバ島領主の名目で流罪となった。これと同時に、フランス革命で処刑されたルイ一六世の弟であるプロヴァンス伯爵がルイ一八世（在位一八一四～二四年）としてフランス国王に即位し、ブルボン王朝が復活した。

さらに、九月にはオーストリアの首都ウィーンでナポレオン戦争後の国際秩序を話し合うために、ウィーン会議が開催された。とはいえ、イギリス、オーストリア、プロイセン、ロシア、そしてフランスという五大国の利害が対立することは容易に予想できた。

だからこそ、サン＝シモンはヨーロッパ社会の平和と安定のために、思想活動によって戦おうとしていたのである。

第三章

ウィーン体制としばしの安定

——社会の理想を求めて

工場で働く子どもたち
オーギュスト・エルビューによる
The life and adventures of Michael Armstrong, the factory boy 挿絵、1840年

1　産業発展と自由、あるいは現実

†ヨーロッパ社会再組織論

「それみたことか」と、サン＝シモンは思っていた。

一八一四年九月にオーストリアの首都ウィーンで始まったウィーン会議が紛糾しているからである。

「会議は踊る、されど進まず」

ウィーン会議を評したフランス外相シャルル＝モーリス・ド・タレーラン＝ペリゴール（一七五四～一八三八年）の言葉とも、オーストリア外相クレメンス・フォン・メッテルニヒ（一七七三～一八五九年）の秘書の言葉とも伝えられる。ナポレオン戦争後のヨーロッパ国際秩序を話し合うことを目的としながら、参加国の利害対立によって会議は遅々として進まない一方で、夜の舞踏会だけは大々的に開催される様子が皮肉られている。

サン＝シモンにとってみれば、ナポレオン戦争後の国際秩序が混沌としたものになることは容易に予想できた。だからこそ、自分の構想を、そして自分の存在を知らしめるために、パリ陥落後の一八一四年六月、サン＝シモンは『ヨーロッパ社会再組織論』の執筆を開始した。ナポレオン一世に送った『万有引力の法則に関する研究』の内容を踏まえて、もっと具体的な構想を提案しようとしたのである。そして、ウィーン会議開催に合わせて『ヨーロッパ社会再組織論』は刊行された。

ウィーン会議では、度重なる議論の紛糾の末に、フランスにおけるブルボン王朝の復活など、「正統主義」の名の下でナポレオン戦争前の秩序を復活すること、ナポレオン戦争前の国境を復活して諸国家の「勢力均衡」を実現すること、イギリス国王とローマ教皇を除くキリスト教諸君主による精神的盟約としての「神聖同盟」を結成することが決定された。

また、この会議によって、ヨーロッパには「ヨーロッパ協調」と呼ばれる秩序が生み出された。イギリス、フランス、オーストリア、プロイセン、ロシアの五大国を中心として、国際法に基づく条約と会議によって国際秩序が調整されることになったのである。

これに対して、サン＝シモンは国際法に基づく条約と会議による国際秩序ではなく、ヨーロッパ社会の組織化、つまり現代的な表現を用いるならヨーロッパ統合を構想した。

サン＝シモンのヨーロッパ統合論とは、かいつまんでまとめると「世襲のヨーロッパ議会の王と二院制のヨーロッパ議会の設置」、「英仏連合」、そして「経済の相互依存による平和」という三つの点から成立すると言ってよい。

一つ目の「世襲のヨーロッパ議会の王と二院制のヨーロッパ議会の設置」は、自然秩序とその観察方法を応用した社会観を基礎としている。

すでに紹介したように、サン＝シモンによれば、万有引力の法則によって自然秩序が成立して、特殊な森羅万象が存在するように、万有引力の法則のようななんらかのものによって一般的なヨーロッパ社会が成立して、それぞれ特殊な諸国家の関係が調整されるという。そして、中世には万有引力の法則のようなキリスト教とシャルルマーニュの努力のおかげで、封建的な諸国家とともに封建的なヨーロッパ社会がすでに存在していたという。

フランス革命後の封建的身分秩序が崩壊した時代、民主主義が要求されるようになった中では、もちろん諸国家とヨーロッパ社会のどちらもが民主主義的でなければならないだろう。だからこそ、サン＝シモンはヨーロッパ議会の設置によって議会制民主主義を導入することで、封建的な中世ヨーロッパ社会を民主主義的な近代ヨーロッパ社会へ組織し直すこと、つまり「再組織」することを考える。

その一方で、王政の必要性を主張するように、サン＝シモンは社会を一つにまとめる一人の人物の存在を重視する。そうでなければ、議会の中でそれぞれ特殊な出自を持った議員たちが争い続けて社会が崩壊してしまうため、社会を代表する一人の人物が必要だという。このときサン＝シモンは、当時の世界でもっとも先進的だったイギリスの王政と議会制民主主義を念頭に置いている。

しかし、当時の現実的な問題として、五大国のうち政治的に先進的と言えるのは、イギリスとフランスくらいであった。イギリスは当然のこととして、フランスとてナポレオン一世の帝政の下でも議会が設置されており、不十分ながらも民主主義的な手続きが重んじられていた。このような両国を除けば、残りの三大国にもその他のヨーロッパ諸国家にも中世以来の封建体制が頑丈に残っていた。

†英仏連合論

イギリスとフランスだけが民主主義を重んじているという事実を踏まえながら、サン＝シモンはヨーロッパ社会の最初の段階として「英仏連合」を提案する。議会制民主主義を採用する英仏両国が先頭に立ってヨーロッパ統合を進めるとともに、ヨーロッパ諸国家での民主主義の実現へ向けての改革を支援せよという。

また、このような「英仏連合」の考え方の基礎には、「経済の相互依存による平和」という構想が存在した。

一八世紀以来の産業革命の進展の中で、イギリスはヨーロッパで最大の経済大国となり、世界中に市場としての植民地を保持していた。フランスはイギリスには遅れをとっていたものの、他のヨーロッパ諸国家に比べればはるかに強い経済力を保持していた。それゆえ、一八一五年の『一八一五年同盟に対してとるべき方策についての意見』においてさらに論じることになるように、サン＝シモンは両国の競争ではなく統合によって巨大な市場を形成して、経済を大きく発展させようと考えるのである。サン＝シモンに言わせれば、イギリスの蓄積された資本とフランスの多数の人口および肥沃な農地によって、ヨーロッパ経済の発展を実現できるという。こうした英仏の共同事業のために、サン＝シモンは英仏共通通貨の創設という通貨統合さえ構想する。

そして、英仏を中心とした近代ヨーロッパ社会によって、ドナウ川とライン川を結ぶ運河や、ライン川とバルト海を結ぶ運河の建設などが推し進められるなら、ヨーロッパ経済の発展がさらに促進されるのは間違いない。しかも、運河などによる相互の交流の促進こそが、人びとのコミュニケーションを増大させて、ヨーロッパの平和を構築するとも考えられよう。

もちろん、二一世紀の今日から見れば、「経済の相互依存による平和」という発想が必ずしも上手くいかないことは言うまでもない。ただし、こうした思想があったからこそ、後世においてさまざまな実践が見られたのであり、実践がなければ失敗するかどうかはわからないのである。

ところで、『ヨーロッパ社会再組織論』の後、一八一六年末から一八一八年五月にかけて『産業』という著作シリーズを刊行することで、サン＝シモンはこのような経済の構想を発展させながら、新しい「社会」における産業、そして労働の重要性を主張するようになる。また、このような『産業』とともに、一八一八年に書いたと思われる草稿『産業の政治的利益』の中で、産業による富の増大をとおして貧困層の境遇を改善することを構想する。

これらの内容によれば、産業発展によって経済のパイを拡大すれば拡大するほど、資本家層など一部のもとに留まっている富が、労働者を中心とした貧困層にも分配されるようになるはずであるという。確かに先進国の貧困と最貧国の貧困では、貧困の内容が大きく異なるわけで、絶望的な貧困からの脱出のためには、少なくとも富の増大が必要となるのは間違いない。こうした富の増大による十分な分配という思考は、フーリエにも見られたとおりである。

もちろん、多くの富を持った先進国であっても、人びとの間には相対的な差異があって、富が必ずしも貧困層に分配されないわけで、人びとの富を独占したいという意識を変革するための方法を考えなければならないだろう。

『ヨーロッパ社会再組織論』によれば、すべての人間には「自分の利益を一般化する傾向、つまり自分の利益を共通の利益に包含されたものとして見る傾向」があるという。どんな人間も自分の利益だけを考えるものではなく、他者を含めた社会の一般的利益を考えるものだということである。そうであれば、産業発展によって労働する機会が増えて、他者とのコミュニケーションも増えるなら、そのような他者への道徳的な意識が強まっていくのではないだろうか。労働するからこそ、どんな人間も自分の力だけではなく、他者との協同や社会という存在のおかげによって利益を得ていることに気づくはずだからである。こうした点についてのサン＝シモンの思考は、これからもっと明確化されることになる。

さて、ウィーン体制はフランス革命以後の歴史的な流れに対して反動的であった。その一方で、さまざまな戦争が発生しながらも、反動的体制のおかげでヨーロッパ諸国家はしばしの比較的安定した時代を経験する。また、比較的安定した時代だからこそ、経済のさらなる発展が続いていく。そして、経済のさらなる発展の中で、資本家と労働者の間の格差が拡大していく。

資本家と労働者の格差を埋め合わせて社会の分断を排し、社会の一体性を守るためにはどうしたらよいのだろうか。サン＝シモン、オーウェン、フーリエの思想と行動を見ていこう。

†平時という現実に引き戻されたとき

ナポレオン戦争後、ヨーロッパを不況が襲った。

ひとつの悲しい現実として、戦争とは街や産業を破壊して人びとの命を奪うというだけでなく、特需をもたらすものでもあった。それゆえ、長期間の戦争がようやく終わってみれば、特需が失われて一気に不況が到来した。

まさに、平時という現実に引き戻されたのである。

たとえばイギリスでは、ナポレオンの大陸封鎖令への対抗策として、政府が海軍力を用いて大陸諸国家の貿易を妨害したところ、穀物輸入が滞って穀物価格が高騰し、地主層や一部の農民層が多くの利益を手にした。ところが、一八一三年の大豊作とナポレオン戦争終結による大陸封鎖解除間近という状況が今度は一転して穀物価格の暴落を引き起こして、社会不安が増大した。

そのため、一八一五年三月には農業保護の強化による農産物価格の維持を目的として、穀物法が改正された。当時の議会では大規模に土地を所有する地主層が優位に立っており、穀物法は彼らの利益を考慮したものだった。その一方で、穀物価格の維持は原材料価格の低下を望む資本家の不満を引き起こしただけでなく、貧困に苦しむ労働者をさらに困窮させた。こうして、イギリスでは一八一五年以降、穀物法の廃止と自由貿易の確立に加えて、選挙権の拡大が大きな政治的争点となっていく。

また、財政懸念が強まっていた。対仏大同盟諸国家の中心としてイギリスはヨーロッパ各地での戦争を展開しながら、フランスと戦う同盟諸国家を支援してきたが、増税のみでは不足する多額の戦費を国債によって賄ってきた。それゆえ、ウィーン体制の成立によってヨーロッパに一応の安定がもたらされたとき、これまでに積み重なった国債をいかにして償還していくのかが問題となる。

戦争中には祖国の勝利のために、富裕層は国債を購入して戦争を支えようとする。労働者を中心とした貧困層でさえ、祖国の勝利を祈りながら労働して戦争を支援するという毎日を過ごし、あるいは徴募されて戦場に向かう。

しかし、戦争終結によって平時が回帰してきたとき、つまり誰もが現実に引き戻されたとき、国債を購入した富裕層はこれを償還してもらいたいと思うようになる。戦争終結直後において、政府は償還費用をまかなうための十分な予算を持たないため、これをさらなる増税によって平民層から引き出そうとしても、毎日の長時間労働と低賃金にあえぐ彼らにしてみれば、ない袖は振れない。それでも政府が彼らに負担を押しつけようとするのなら、大きな不満が生じてしまう。

もともとイギリスよりも経済力が劣っていたフランスの場合、大陸封鎖解除とイギリスとの貿易再開による経済的な打撃は大きかった。しかも、敗戦国であるフランスには一八一五年一一月のパリ条約によって、七億フランの賠償金や戦争前の国境線復活による領土の縮小などが押しつけられた。

さらに、一八一五年四月のインドネシアでの火山噴火によって、翌年にはヨーロッパに

「夏のない年」と呼ばれるほどの冷夏が到来し、農作物の不作によって飢饉が発生した。

結局のところ、ブルボン王朝という旧体制が復活したフランスにおいて、負担はすべて経済を支える平民に向かってしまう。しかし、フランス革命によって封建的身分秩序が崩壊したことで、平民は主体性を得るようになっていた。それまでの戦争を支えてきたのは平民であり、平民の意識の高まりを無視することはできなくなっていたのである。

王政復古によって、旧体制を支持する封建貴族を中心としたユルトラと呼ばれる反動的な極右王党派がどんなにフランス革命後の秩序を否定しようとも、一度できた歴史の流れに抗うことは不可能であった。こうした状況の中で、ルイ一八世は王党派の支持を受けながらも、できるだけ漸進的な改革を志向し、平民との関係も重視した。

だからといって、平民が復古王政を心から支持するわけでもなく、ナポレオンの下で力を奮った軍人などもまた復古王政に不満を持っていた。反動的な王党派はルイ一八世に圧力をかけて、旧体制を復活させることを狙った。国民各層が体制に不満を持つとともに、自分たちにとって都合のよい体制の構築を目指して互いに対立したのである。ルイ一八世は非常に危ういバランスの上に立っていた。

こうした現実を踏まえながら、サン＝シモンは考えた。

王政復古期の混沌とした状況において、どのようにして国民各層の融和を実現しながら、自由な社会を構築することができるのだろうか。

「そうだ……産業だ……！」

王政復古によって封建貴族の力が復活したように見えるが、平民の側にこれに対抗する新しい力が確固として存在している。彼らの基盤は富を生み出す行為、つまり産業ではないか。中世以来、平民は産業によって富を生み出し、富を基盤として成長を続け、封建貴族への対抗勢力になったからこそ、フランス革命を発生させることができたのではないか。

さきほど紹介したように、サン＝シモンは一八一六年末から一八一八年五月にかけて『産業』という著作シリーズを刊行することで、新しい「社会」における産業、そして労働の重要性を主張する。その中でも、まずは中世以来の歴史を検討することで、産業こそを人間の自由を実現してきた決定的な要素として位置づけて、軍事的・暴力的な封建体制から自由な産業体制への移行を理論づけようとする。まさに、「産業発展史観」とも言うべき歴史観を提示するのである。

†産業発展と自由

産業発展史観とは、かいつまんで言えば、産業発展が平民の自由をもたらし、自由が産業発展を促すため、自由な体制の樹立のためには産業をもっと発展させよというものである。そして、人間は労働するという共通性を持ち、労働をとおして互いの平等な立場を理解するようになることから、産業発展と労働の拡大が人間の自由と平等を確立するとされる。

近代以前、サン＝シモンによれば、人びとが集結する目的は敵と戦うためであった。そして、略奪などをとおして、戦争と軍事は人びとに富をもたらした。こうした時代、封建諸侯は平民を守ることができる戦士としての役割を果たすことで、それぞれの支配を正当化できた。キリスト教会（ローマ＝カトリック教会）も「祈る人（聖職者）」、「戦う人（封建諸侯・騎士）」、「耕す人（平民）」のうち、「戦う人」による「耕す人」の支配・搾取を正当化した。

また、近代以前とは、ひとたび天変地異が起きれば収穫を失い、ペスト大流行のようなパンデミックどころか日常的な病気にすら対応は難しく、戦争に巻き込まれることによって命を落とす機会があふれている時代だった。だからこそ、人びとは此岸（この世）で救いを求めようと救われるわけではない人生を全うすることで、存在するかどうか不確かな彼岸（あの世）での救済と幸福を望むしかない。

こうして、キリスト教は清貧を説き、さまざまな欲を否定することで、労働を単なる苦行に変えた。此岸でどんなに苦しい人生でも、苦しさを経験してこそ、彼岸における救済と幸福があるという理屈である。サン＝シモンに言わせれば、まさに宗教の欺瞞でしかなかった。オーウェンもサン＝シモンも、「空想的社会主義」に分類された人びとは旧来の宗教に対して厳しい視点を持つ。

しかし、中世以降の農業発展にともなって、サン＝シモンによれば平民は産業における労働という平和な行為から富を獲得し始めたという。このような平民を中心とした人びとについて、サン＝シモンはなんらかの形で産業にたずさわる人びとという意味で、「産業者（industriels）」と呼び始めることになる。そして、産業の発展に基礎づけられた「産業者」の新しい力こそが「コミュヌの解放」の原動力となった。

フランス語の「コミュヌ（communes）」は日本語ではしばしばコミューンと表記され、共通といった意味のほか、多数や庶民、あるいは平民といった意味を持つ。まさに平民などが担う平和な産業の発展、言いかえれば資本主義の成長こそが、フランス革命を発生させたりしたことで、社会の近代的再組織の障害としての軍事的・暴力的な封建体制を破壊した。そうして、平民を中心とした産業者は支配者によってその富を収奪されるだけの存在ではなくなったと言えよう。

このように、産業者は封建体制の解体を促し、封建的支配者からの自由を得ることで、その地位を上昇させた。共通して労働することに基礎づけられた平等な産業者が自由に産業活動に従事し、自由にその富を得て、さらに自由に新たな産業発展を企てた。まさに、産業発展が自由社会を準備し、自由社会は産業発展を促す。そして、産業発展が自由社会を確立するのである。

以上のようなサン＝シモンの視点によって歴史を振り返るなら、自由と産業の、そして自由の実現と社会の近代的再組織の相関関係を確認することができるだろう。

†産業による富の増大と貧困層の境遇の改善

産業発展史観にしたがうなら、そして人間が経済の中で生きなければいけないという事実を踏まえるなら、中世の封建体制は近代の産業体制に取ってかわられることが歴史の必然的な流れなのであろう。産業発展という資本主義の成長による経済のあり方の変容が政治における民主主義社会の到来を要請し、自由が保証された民主主義社会においてこそ資本主義がさらなる発展を遂げるという歴史観は、これ以降、さまざまな思想家・哲学者によって批判的な形で継承される。

もちろん、中世の封建体制から近代の産業体制への変容という歴史の流れが事実であっても、一九世紀以降、資本を独占した資本家層が政治を牛耳るなど、議会制民主主義の自由な社会はかんたんには到来しない。それどころか、資本家と労働者の間には絶望的な貧富の格差が存在し、労働者は長時間労働と低賃金の中で不自由な生活を強いられている。産業体制下の自由とは何かという問題がつきつけられている。

それでも、サン゠シモンは産業の可能性を信じる。人間が働かなければならない、そして労働が人間の共通性であるという考えに基づいて、資本家と労働者が労働とコミュニケーションをとおして一つの「産業者」として融和できると考えるのである。ただし、資本家と労働者という階層の完全な消滅までは想定されていないことに注意が必要である。人びとには能力の差があるため、サン゠シモンは人びとの立場の違いを否定しない。しかし、その違いが身分のように固定されないことが重要であるという。

さらに、すでに紹介したように、著作シリーズ『産業』に加えて、一八一八年に書いたと思われる草稿『産業の政治的利益』の中で、サン゠シモンは産業による富の増大をとおして貧困層の境遇を改善することを構想する。サン゠シモンの考えでは、経済発展によって経済のパイを拡大すれば拡大するほど、資本家層など一部のもとに留まっている富が、労働者を中心とした貧困層にも分配されるようになるはずだからである。

貧困層の境遇を改善するためには、政府による市場介入や強制的な富の分配という方法もあるものの、サン゠シモンはあくまでも貧困層の境遇の改善を自由な市場に委ねようとする。なぜならば、自由な産業体制を守るという観点から、サン゠シモンは『産業』の中で権力を「必要悪」と考えて、いわゆる〝小さな政府〟を志向するからである。サン゠シモンの考えではどんな民主主義的な政府であっても予め与えられた権限を越えようとするとき、社会を圧迫し始めてしまう。人間の営みである以上、政府は信用できないという。

とはいえ、産業によって増大した富は本当に労働者を中心とした貧困層に分配されるのだろうか。『ヨーロッパ社会再組織論』では、どんな人間も自分の利益だけでなく、他者を含めた社会の一般的利益を考えるものであることが主張されていた。たとえそのような人間の本性が事実だとしても、結局のところ、日本でしばしば使用される「お天道様が見ている」のような、もっと絶対的なものに対する感覚を抱くからこそ、誰もが他者に優しくしようとか、悪いことをしないようにしようとか、そう思うものではないだろうか。

さきほどの政府についての視点のように、人間の営みと理性的判断が信用できないのなら、人間を超えるなんらかのもの、つまり万有引力の法則のようななんらかのものがやはり必要になるはずである。

2 資本主義は悪なのか

†機械に対する人間労働の価値下落

やはり人間が他者の境遇に思いを馳せないからこそ、その営みによって悲惨な労働環境は生み出されるのであろう。

参加国の利害が対立して遅々として進まないウィーン会議がついに妥結した一八一五年ごろ、オーウェンは長男ロバート（一八〇一～七七年）とともにイギリス各地の工場を見学しながら、メモをとっていた。

すべての従業員が朝六時から夜八時まで働き、機械のせいで工場の中は高温で、子どもは休む以外に何も知らず、青年男女は安酒で酩酊するだけ……。このような労働環境のあいかわらずのひどさを見て、経営者たちに幻滅した。

彼が実践してきた経営の中で、その工場の労働環境と労働者の毎日の生活環境はいちじるしく改善し、労働者に活力がみなぎるようになったものの、イギリスの他の工場ではあいかわらず労働者がひどい状態に置かれている。どんなに自分が労働環境と労働者の毎日の生活環境の改善のために福利厚生と生活向上の必要性を主張しても、経営者たちは変わろうとしない。

オーウェンは各地の工場を見学するたびに大きなため息をついただろうが、同時に自分の果たすべき役割を確認したに違いない。

そして、自分こそが反対者たちを説き伏せてみせると決意を新たにした。

このころのオーウェンは「工場法」の制定を提案し、労働時間の制限など労働環境の改善を目指していた。ナポレオン戦争終結後の不況や穀物法制定による食料価格の上昇の中で、労働者の困窮がさらにひどくなっていたからである。こうして、イギリス各地の工場を見学して、さきほどのような工場労働の悲惨な状態を描写し、議会・庶民院に工場法制定を求めて『工場制度の影響にかんする考察』をとりまとめた。

そして、工場労働の悲惨な状態を改善するために、一時間半の食事時間を含む一日一二時間という労働時間の制限、一〇歳に達しない子どもの工場労働の禁止、一二歳に達しない子どもの一日六時間以上の工場労働の禁止などを訴えた。やはり実際に経営にたずさわる企業家として、オーウェンは労働者を貧困から救済するために具体的に行動し、具体的な構想を提示するのである。

ところが、オーウェンの提案への反対は根強かった。その結果、最終的に一八一九年に成立する紡績工場法はその名のとおり紡績工場にだけ制限をかけるものとなる。しかも、九歳に達しない子どもの労働が禁止される一方で、一六歳に達しない者にだけ一日一二時間という労働時間の制限がかかるだけで、全面的な労働環境の改善につながる法律は成立しないのである。

しかし、オーウェンは引かなかった。しかも、オーウェンのような考えを持つ人びとも少なからずいたことから、一八一七年ごろに工場労働貧民救済協会委員会が結成されて、労働者の困窮が議論されることになったのである。そして、委員会のメンバーに選出されたオーウェンは『工場労働貧民救済協会委員会への報告』を執筆して、困窮する労働者のために労働協同村の設立を含む救済策を策定し、その内容を議論する公開討論会を開催するのであった。

では、オーウェンの報告書の中身と労働協同村の構想を確認してみよう。

オーウェンにとって、ナポレオン戦争終結後の不況と労働者の困窮とは、機械に対する人間労働の価値の下落を原因とするものだった。

オーウェンによれば、ナポレオン戦争中に産業の機械化が一気に進んで、人間労働が機械に取ってかわられたことによって、生産力が増大した一方で労働者の賃金が低下した。戦後に戦争の特需が失われて需要が減少すると、過剰に生産された商品が購入されなくなるが、そもそも労働者の賃金も上昇しないままであるから、労働者が商品を購入することはできない。こうして、不況が発生してしまうというわけである。

このころのイギリスでは、紡績業を中心として労働者が機械を打ち壊すラッダイト運動が展開されるようになっていた。機械の発達によって、労働者が賃金低下や失業の危機にさらされ続けていたからである。まさに機械に対する労働価値の低下は、解決するべき喫緊の課題となっていた。

そうだとすれば、機械から人間を解放するための解決策は三つある、とオーウェンは考えた。曰く、機械を減らす。曰く、機械を減らさないまま餓死者を出す。さらに曰く、貧困者と失業者に仕事を見つけ、機械を労働に奉仕させる。

「もちろん、失業者に仕事を見つけてあげなければならない。機械というものは、彼らの労働を助けるためにあるのだ。機械にふりまわされてはいけない」

オーウェンは貧困者と失業者の救済のために三つ目を志向した。そして、最高の機械を所有した限りなく自己完結型に近い農業中心の労働協同村の設立を構想するに至った。

†労働協同村の構想

オーウェンが構想する労働協同村とは、つぎのようなものである。

まず、人口は五〇〇人から一五〇〇人程度で、平均して一〇〇〇人だという。この人数であれば、労働者の性格改善という事業が有効なものになるという。

つぎに、村の中心には図6のような内側に五つの建物を持つ四角形の回廊型の建物があり、その周囲に一〇〇〇〜一五〇〇エーカー(一エーカーは約四〇四七平方メートル)の土地がある。建物の内部には住宅や診療所だけでなく、共同炊事場と食堂、学校、講堂と礼

図６　労働協同村のイメージ（Podmore, 1907）

拝堂などが入っていて、建物の外側には庭園がある。また、庭園のさらに外側には製造工場の建物や農園施設などがある。

そして、このような村で、小さい子どもにはしつけと教育が施され、成人らには農業などの仕事が与えられるという。

さて、ヨーロッパの歴史において、産業革命を発生させた要因の一つとしては、中世以来の科学技術の進歩がある。そして、産業革命が進む中で、蒸気機関が発明されるなど、技術はさらに進歩していく。しかし、さきほどのオーウェンの不況についての考えを踏まえるなら、こうした技術の進歩とは労働者に機械と競争させることだった。もちろん、機械が絶え間なく作業できるのに対して、労働者が競争するかのように機械に合わせて、あるいは機械を超えて作業しなければならないのなら、いずれは疲弊してしまう。機械に対して人間労働の価値は下落するしかない。

そのような産業革命の現実を考えるなら、農業を中心として労働者が互いに助け合いながら働き、あくまで自分たちを豊かにするために機械を補助的に利用するべきではないだろうか、とオーウェンは主張するのである。

また、産業革命以降、石炭燃料によるイギリスの大気汚染がひどくなっていき、第二次世界大戦後の一九五二年一二月に発生したロンドンスモッグは一万人以上の死者を出すことになったわけで、オーウェンの労働協同村は生活空間と労働空間を区分する点において、こうした環境問題への対応を相当に先取りするものとも言えた。

とはいえ、あまりに牧歌的な理想ではないかとも思えてしまう。

中世以降の産業発展と資本主義の勃興の中で、人が人と思われず、人が経営のための道具として見なされているかのように、資本家が労働者を酷使するような状況が続き、労働者が長時間労働と低賃金にあえいでいたことは事実であっても、農業を中心とした労働協同村においては人が人を尊重し、互いに協力し合うようになるのだろうか。そもそも産業革命よりもはるか昔の農業を中心とした世界において、人びとはいつも助け合っていたのだろうか。

オーウェンは人と人との助け合いをどのように実現していくかについての具体的な方策を持たないままに、産業革命以前の農業を中心とした世界を理想化しすぎている。また、二一世紀のわれわれであっても、日々の生活の息苦しさを批判しようとするとき、その原因を産業発展と資本主義に求め、田舎の農村を相互扶助社会として理想化しがちである。

実のところ、思想家・哲学者ごとに違いはあるものの、現状とは異なる相互扶助社会に思いを馳せるという姿勢はヨーロッパ思想の中で一つの系譜を持ってきた。それは、「ユートピア（utopia）」を探究する「ユートピアニズム（utopianism）」という思想系譜である。「はじめに」でも述べたとおり、「ユートピア」という言葉は、イギリスの思想家トマス・モアによる造語である。一五一六年の著書『ユートピア（社会の最善政体について、そしてユートピア新島についての楽しさに劣らず有益な黄金の小著）』において使用された。「ギリシャ語の否定詞である ou」と「場所を意味する topos」から成立しており、「どこにも存在しない場所」という意味になる。それが転じて「理想郷」、あるいは「空想的社会」という意味にもなる。

†理想郷(ユートピア)の問題

『ユートピア』が刊行された一六世紀初頭は、産業革命の発生以前であるとはいえ、モアの記述によって当時すでに平民たちの生活が醜い状態になっていたことを理解することができる。モアによれば、ヨーロッパの君主たちが自分の富や領土を増大することだけに熱心になる一方で、平民たちは「囲い込み」によって土地を奪われ、牛馬よりもひどい労働を強いられているというのである。

結局のところ、キリスト教がどのように平民の平等を説こうとも、能力や運の作用によって豊かになるものは豊かになり、貧しいものは貧しくなるものであった。豊かになる人びとはその財力を使って貧しいものたちの土地を買いあげることで、牧羊地をさらに広げていく。一方で土地を失った人びとは浮浪者となってさまよい歩くか、都市に流れ込んで労働にたずさわることになる。こうした一六世紀初頭以降、領主や地主たちが大規模に羊毛を生産し、それを都市の工場主たちが農村から流入した労働者を使って織物に変えていくようになる。そして、労働者は長時間労働どころか、低賃金に苦しめられる。

以上のような不平等について、モアは「羊が人間を喰う」と表現した。

しかも、モアによれば、国家や法律も貧しい人びとを搾取するための「金持ちの共謀」による私物化にすぎないという。当時の世界では、貴族や地主といった一部の人間だけが政治に参加できるわけだから、彼らが自分たちにとって都合のよい法律を制定し、都合よく国家を運営するのは当然だろう。

そのような現実を踏まえるなら、諸悪の根源である貨幣経済と私有財産制度を廃止して、平等な市民が財産を共有しながら、少ない労働に従事すればよいのではないか、とモアは考えた。こうして、モアは理想国家における人間の理想的社会生活を描き出した。架空の人物であるヒュトロダエウスが架空の国家を新世界で見聞きして、モアに語るのである。

まず、私有財産が存在せず、財産が共有であるため、家の入り口の鍵はかかっておらず、誰もが家の中に入ることができるという。家自体も一〇年ごとに抽選で取りかえていくことになる。

つぎに、人びとは二四時間のうち六時間のみ労働するという。午前中の三時間労働した後、正午に昼食を摂り、食後に二時間休息して、再び午後に三時間労働し、夕食を摂る。労働にほとんどすべての女性も参加することもあって、必要生産物をそろえるために六時間の労働時間は多すぎるくらいである。そして、人びとは長い自由な時間を「精神の洗練」のために用いるという。

さらに、金や銀を恥ずべきものとする観念を人びとの心に植えつけるため、金を使って便器や奴隷を縛るための足枷・手枷の鎖を製作する。人間が金を用いるから金は尊重されるのに、金自体が人間よりも尊重されるということに対して合点がいかない、と人びとは考えるとのことである。

その他にもさまざまなことが書かれている。とはいえ、モアはユートピアを実現できるとは思っていなかっただろう。ギリシャ語を応用してユートピアと名づけた、つまり「どこにも存在しない場所」と呼んだくらいだからである。しかも、あくまでもモアは聞き手として、ヒュトロダエウスの語るものを書いたという体なのである。

それでは、なぜモアは『ユートピア』を執筆したのだろうか。

『ユートピア』の中で、理想国家が描かれているのは第二巻であり、第一巻はヨーロッパ社会の批判に当てられている。このように、モアは当時の社会の問題をまずは暴露することで、人びとにそうした問題の存在を認識するよう訴えたのである。

古代ギリシャ以来、理想の国家のあり方はプラトン（紀元前四二七年~紀元前三四七年）の『ポリテイア（国家）』などでも描かれてきた。また、モアの『ユートピア』以降、カンパネラ（一五六八～一六三九年）の『太陽の都』などもさまざまな形で理想的な社会のあり方を描き出すことになる。そして、いずれもが現実の社会を風刺したり批判したりしながら、原始社会といった未開時代に理想郷を求めたり、あるいは未来を理想的に描き出したりする。同時に、基本的に私有財産制度を否定して、現実の問題の根源を資本主義と貨幣経済に求める作品が多い。

もちろん、資本主義と貨幣経済がすべての悪の源泉であって、それらを廃止しさえすれば平等な社会が訪れるというのは、素朴すぎる考え方であると言えよう。また、平等な社会では国家も法律も必要ないという主張などは、あまりに無垢であろう。

ただし、〝現実にはありえない〟世界のあり方を描き出したからといって、思想家・哲学者たちが本当にその実現を信じていたかどうかはまったく別問題となる。モアがそうだったと思われるように、現状の問題を批判するために、そして問題を多くの人に認識させるために、まったく対照的な世界を描いたとも言えるからである。

本書の筆者も含めて、金銭を愛するのが人間というものだろうし、金銭を得るために利己的になるのもまた人間というものだろう。しかし、金銭が社会に貧富の格差をもたらす原因であるとき、社会の理想についての構想はわれわれに一旦立ち止まって考えることを促す。そして、われわれは社会の不条理に思いを馳せるだろう。金銭的に恵まれた境遇の人間であっても、時と場合によっては悲惨な環境で生きなければならなくなるかもしれないのだから、社会の不条理に目を向ける必要がある。

貧富の格差を完全に消滅させることは不可能であっても、せめて労働環境を整備したり、貧困層の境遇を改善したりと、理想に近づこうとすること自体は不可能ではない。むしろ、どんな理想も掲げられない世界では、現状の問題が問題として認識されていないのだろうし、誰もが現状を改善することを意識していないのだろう。それは実に不幸な状況と言えよう。

「空想的」であることは、社会を変えていくために必要な姿勢なのである。

†オーウェンの宗教批判

貧富の格差といった問題が存在し続ける中で、オーウェンは宗教に疑いの目を向けていた。

実に立派なことを口にする宗教家であってもすぐに誰かと対立し、宗教を原因とした戦争はなくならない。宗教の教えが広まっているのに、毎日の生活に苦しんでいる人びとがたくさんいる。人びとを幸せにしない宗教とはなんなのか、オーウェンにははなはだ不思議に思えた。

そして、一八一七年八月、集会場である「シティ・オブ・ロンドン・タヴァーン」において労働協同村の構想の広報を目的とした公開集会が二度にわたって開催されたとき、オーウェンは二度目の集会でついに宗教批判をやってのけた。宗教的不寛容、あるいは宗教の分断と分裂の感情が、人間の、そして協同村の調和と幸福を破壊するのだから、「世界の全宗教を否定し・廃棄する」必要があるというのである。

ヨーロッパに限らず、世界の歴史を振り返るなら、宗教対立が戦争や虐殺を引き起こし、多くの人間を死に追いやってきたことがよくわかる。さらに、聖職者たちが天動説など事実に反する世界観を語り、人びとの無知を作り出してきたことも事実である。

そこで、オーウェンの考えの中では、宗教の教えが否定・廃棄されるかわりに、労働協同村こそが新たに人びとを更生するための手段となるわけである。そうした労働協同村の中で助け合いながら、人びとは幸せに生きていくことができるだろうからである。

また、オーウェンによれば、人間の性格は子どものころの生育環境によって形作られるものであった。それゆえ、労働環境と毎日の生活環境の改善によって労働者の境遇を改善することも必要であるが、適切な環境で人びとに適切な教育を与えることも重要だった。オーウェンにとって問題を抱えた宗教は教育から排除されるべきものだった。

しかも、そもそも貧困に苦しむ労働者はどうしようもない環境で育ってきたわけであって、荒んでしまうのもいさかいを起こしてしまうのも当たり前なのである。彼らにどんなに宗教の教えを説いたところで無意味であろう、とオーウェンは一貫して言いたいわけである。

さて、『工場労働貧民救済協会委員会への報告』において、労働協同村の構想はもともとナポレオン戦争後の不況の中で困窮する労働者の救済策として提案されたものであった。そして、オーウェンは宗教批判を口にして、労働協同村での生活を旧来の宗教の教えにかわるものとして位置づけることで、労働協同村の構想を従来の社会全体を改革するための方策に大きく発展させることになった。

とはいえ、このような宗教批判によって、それまで好意的な立場をとってきた『タイムズ』紙でさえこれを強く批判するなど、オーウェンは支持者を一気に失ってしまったのである。

†サン＝シモンの宗教批判

ドーヴァー海峡の南側で、サン＝シモンも同じ思いを持っていた。人びとを幸せにしないどころか、さまざまな混乱の原因であった旧来の宗教とは一体なんなのかと疑問に思っていた。

実はまったく同じ一八一七年、著作シリーズ『産業』のうち、「第三巻」を九月から一〇月にかけて刊行してサン＝シモンも旧来の宗教を批判したところ、これを原因として支持者を一気に失ってしまった。

それまでも、サン＝シモンの議論の中では、キリスト教にかわる万有引力の法則のようななんらかのものを見つけ出すということが主張されてきた。そして、『産業』「第三巻」において、サン＝シモンは旧来の宗教を「天上の道徳」と表現したうえで、近代にふさわしくないものと見なし、これにかわる近代にふさわしい「地上の道徳」を樹立することをはっきりと主張したのである。

サン＝シモンにとって、労働は人間の義務であり、人間に互いの平等な立場を理解させる行為である。また、産業発展が自由をもたらし、自由がさらなる産業発展を促すという産業発展史観を踏まえるなら、産業における労働は人間の自由と平等を確立するために必要である。

さらに、これまでのサン＝シモンの考えにしたがえば、人間は労働する中で自分の利益を考えるものの、必ず発生する他者とのコミュニケーションをとおして、互いの関係性を理解して、他者の利益を含めた社会の一般的利益を考えるものだと言えよう。

このような他者を含めた社会の一般的利益を考えるという態度は、非常に道徳的である。だからこそ、産業という地上の事象によって培われる道徳という意味で、サン＝シモンは「地上の道徳」という表現を使用したのである。それゆえ、「地上の道徳」は「産業的道徳」とも言いかえられることになる。

また、「地上の道徳」をめぐっては、サン＝シモンが科学者のあり方を重視する点が重要である。かつての『一九世紀の科学研究序説』などによれば、科学者がそれぞれ特殊な現象を実証的に研究して、実証性を持った一般的な理論を提示するとともに、一般的な理論を特殊な現象によって再び確認するように、サン＝シモンの考えではすべての人間がそのような科学者の知的態度を受容することが必要だという。

労働をとおしてすべての人間が自分の特殊的利益と他者を含めた社会の一般的利益の関

係性を確認し、自分と他者の関係性を実証的かつ経験的な知識として理解できるようになることで、自分の特殊的利益だけでなく他者を含めた社会の一般的利益を考えるという道徳に到達するというのである。こうした点でも、サン＝シモンが想定する道徳はまさに天上から一方的に降ってくるものではなく、地上で生まれるものである。

以上のように『産業』「第三巻」において「天上の道徳」から「地上の道徳」への移行の必要性を主張したところ、サン＝シモンは読者や新聞などから強く批判された。産業という富を生み出す活動が、あまりに現世的に見えてしまったからだろう。

もちろん、サン＝シモンは金だの利益だのと刹那的に何かを主張していたわけではない。それどころか、産業革命と資本主義のはらむ問題を認識しながらも、資本主義を悪魔化するのではなく、資本主義の中で資本家と労働者の融和をはかろうと考えたのである。

ただし、当時の復古王政下のフランスでは、憲法にあたる憲章に「ローマ＝カトリックは国家の宗教である」と明記されたように、旧来のキリスト教会が復活しており、キリスト教に批判的な態度は慎むべきものだった。しかも、フランス革命という大混乱を経験した人びとにとって、宗教が心の拠り所となっていた。はたまた、封建的身分秩序の崩壊と産業発展の中で、いわゆる「成りあがり」の金持ちが社会を牛耳り始めており、そうした産業の担い手のあり方への批判の目が強まっていた。

　ましてや、オーウェンのイギリスではフランスのように旧来の秩序が完全に崩壊したわけではなかった。国王を頂点としたイギリス国教会の影響力は強く、生活の全般に宗教が影響を与えていた。サン＝シモン以上に、オーウェンが批判されるのは当然だった。

　その一方で、オーウェンにもサン＝シモンにも、支持者が存在したという事実は重要であろう。ヨーロッパの歴史の歩みにおいても、一九世紀初頭という時代においても、旧来のキリスト教が社会の安定や社会の一体性、そして社会の改革に対して有害となった事例は確認される。フランス革命後に出現した新しい「社会」の秩序を探究する人びとにとって、キリスト教は問い直されるべきものだった。

　サン＝シモンもオーウェンも、宗教とは何かという問題に一石を投じたのである。

3 資本家と労働者の融和

自分の信念を押しとおそうとするオーウェンであっても、全方向から批判を受ければ、それなりに傷つくものではなかろうか。とはいえ、批判を受ければ受けるほど、これと戦ってやろうという力がみなぎるのも感じていただろう。

†オーウェンと労働価値説

オーウェンは『工場労働貧民救済協会委員会への報告』で労働協同村の構想を提案し、公開集会での宗教批判で大きな批判を浴びた後、一八一七年秋から約一年間にわたって、フランス、スイス、そしてドイツを旅行した。

このころ、ナポレオン戦争後のヨーロッパの不況はさらに深刻化しており、オーウェンは旅行から帰ると再び公開集会を開催したり、労働協同村の設立実験のための資金を募集したり、はたまた庶民院議員選挙に立候補して落選したりするなど、精力的に活動した。

ただし、宗教批判の影響が尾を引いていたのか、労働協同村の構想への募金はなかなか集まらなかったようである。

そのような間でも社会不安は増大する一方で、一八二〇年四月にはスコットランドで反政府暴動が発生した。ヨーロッパ全体を見ても、ウィーン体制成立から約五年が経過して、フランス革命以降の歴史的な流れに歯止めをかけることができないことを示すかのように、各地で政治体制をめぐる対立が続発した。

たとえば、フランスでは革命前の政治体制を支持する極右王党派（ユルトラ）と自由主義勢力の対立が激しさを増していた。スペインでは一八二〇年一月に立憲革命が発生して、かつて廃止された自由主義的なカディス憲法（一八一二年憲法）が復活した。

一八二一年三月には、ギリシャでオスマン帝国からの独立を目指す動きが発生すると、異教徒支配からの解放と自由に対して共鳴する人びとが独立支援のためにギリシャに向かった。さらに、勢力圏拡大を目指すイギリス、フランス、ロシアが介入してギリシャ独立を支援する一方で、自由の高まりに危機感を覚えるオーストリアがギリシャ独立に反対したため、五大国の協調が乱れ、反動的なウィーン体制は動揺していった。

さて、ヨーロッパ各地がこのような状況下にあった一八二〇年五月のこと、オーウェンは経済的に困窮するスコットランドのラナーク州からの依頼に応えて、失業の原因分析と対策のための『ラナーク州への報告』を執筆し始め、翌年一月に刊行した。この報告書の内容が採用されることはなかったのだが、それまでのオーウェンの構想が発展していることが見てとれる。

まず、すでに『工場労働貧民救済協会委員会への報告』の中で主張していたように、オーウェンは不況の原因を労働者への不当に安い賃金にあるとする。機械によって商品の生産が増大しても、労働者の賃金が低いままなら、市場が拡大することもなく増大した商品が売れないために、不況が発生してしまうというわけである。とはいえ、賃金となるべき富はないわけではなく、労働者に十分に分配されていないにすぎないという。

このような分配の不十分さを解決するために、オーウェンは「価値尺度（standard of value）の変更」が必要だとする。

金や銀という貨幣の量は有限で、不足することもあるため、これらの価値に重きが置かれると、労働者の賃金が安く抑えられてしまうことから、労働の価値に重きが置かれることで、労働者には投下した労働量との等価交換の形で報酬が与えられるべきであるというのである。また、オーウェンは貨幣にかわって労働の価値を表示する証券の発行を考える。

商品の価値がどのように決まるかという問題をめぐっては、一八世紀イギリスのアダム・スミスなどの主張のように、〝人間の労働が商品の価値の尺度である〟とする労働価値説が古典派経済学の基本的理論として発展していた。

労働価値説によれば、さまざまな商品のうち、労働だけが唯一価値を生む商品である一方で、他の商品はそこに投下された労働量によって価値を持つという。なぜならば、資本家が労働者に賃金を支払うというのは、労働という商品をその価値に見合った貨幣を支払うことで買っているということであり、そのような労働がなければ他の商品もその価値も生まれないからである。労働だけがあらゆる価値を生み出していくのである。

だからこそ、資本主義において商品が生産されるとき、その商品の価値が投下された労働量によるといっても、さらに投下された労働量の価値を計測しようとすると、尺度として金や銀といった貨幣が必要となる。資本主義は必然的に貨幣を作り出すのである。

なお、これは労働価値説のうちの主として投下労働価値説というもので、一九世紀にはデヴィッド・リカード（一七七二～一八二三年）によってとくに検討されていた。オーウェンもまた基本的には投下労働価値説に拠って立っていたと言えよう。

にもかかわらず、オーウェンは貨幣にかわって労働を尺度に変更せよと主張する。もちろん、機械に対する人間労働の価値下落を問題視するオーウェンには、資本家が労働の価値に見合った賃金を支払っていないと思われたのだろう。オーウェンがまずは貨幣よりも労働に価値を置くべきであると考えるのは当然だった。それでも、オーウェンが貨幣という尺度自体を問題視するのであれば、これまでの労働協同村の構想もラナーク州の失業対策も資本主義から切断されたものになってしまう。

†オーウェンと協同体、そして農業

このような「価値尺度の変更」をめぐる議論に加えて、『ラナーク州への報告』でさらに展開された労働協同村の構想について見ていこう。

オーウェンは農業を中心とした自給自足のあり方をより詳細に提案するにあたって、農業の重要性をもっと強調するとともに、資本主義社会とは異なる社会のあり方を描き出すことになった。

オーウェンによれば、経営者の命令の下で行われる工場の分業は労働者の「肉体と精神を弱くてひどい」状態に追い込むのだという。それに対して、農業とは分業ではなく自分自身ですべてを計画して進めなければならない産業であることから、労働者は農業をとおして自律的になれるだろう、とオーウェンは考えるわけである。

また、実際の耕作について、オーウェンは犂《すき》ではなく鋤《すき》の使用を推奨する。前者の犂は牛や馬など動物に引かせるものだが、後者の鋤は人力によるものなので、前者に比べて後者を使用するほうがより多くの失業者を吸収できる。

もちろん、労働する人間を多く必要とする人力の方が生産性は低下するに違いない。オーウェン自身は理屈をこねて鋤の使用を推奨するものの、どう考えても生産性は低下するはずなのである。ただし、そのような人力による耕作の方が自然環境を守ることは確かだろう。

かつての『工場労働貧民救済協会委員会への報告』の中で、機械に対する労働価値の低下を問題視したように、オーウェンは機械化による生産性を重視する経済成長よりも、自然と人間の調和や人間同士の共生、人間の生きやすさなどを重視するようである。

そして、このような農業を中心とした労働協同村の人口は三〇〇人から二〇〇〇人と想定され、最適な人口は八〇〇人から一二〇〇人であるという。これは『工場労働貧民救済協会委員会への報告』での五〇〇人から一五〇〇人という考えとさほど変わらない。

労働協同村の管理・運営については「年齢による経験と若さの活動力を生かせる」一定

以上の年齢層の村人全員による平等な参加が提案される。自分の利益を求める利己的な自由を排し、全員が仲間とともに生きるために自分の自由な判断で自由に行動するのである。ただし、あくまでも参加できる村人は一定の年齢層以上に限定されている。

まさに近代よりもはるか昔に生まれた日本語の「年寄」という言葉が、年齢と経験を重ねた人びとの寄り合いを語源としているように、オーウェンにおいても資本主義社会誕生以前の牧歌的な農業社会における助け合いがイメージされているのだろう。

ところで、オーウェンは労働協同村について構想するだけでなく、実際にこれを実現しようとアメリカに渡り、一八二五年一月から労働協同村「ニューハーモニー」の建設を進めることになる。そのような中で、フーリエがオーウェンと交流を持とうと試みているのである。

すでに紹介したように、フーリエは一八二二年の『家庭的農業的協同体概論』の中でオーウェンの考え方を批判した。ただし、フーリエはこのときオーウェンの考え方について他人を介して中途半端に知っていたにすぎなかった。

そして、オーウェンが労働協同村の実現を目指していた一八二四年四月になって、フーリエはこれまでの自分の構想を実際に実験したいという思いを持って、オーウェンに協力することを希望する手紙を送った。ところが、オーウェンは弟子を介してフーリエに断りの返事を書いた。それゆえ、またしてもフーリエはオーウェンに手紙を書くのだが、オーウェンはついにフーリエに返事を書かなかった。自分のことを別格と見なしているようなフーリエにとって、オーウェンの対応はショックだったのだろう。

その後、オーウェンの著書を実際に読む中で、こうしたショックに加えて、自分の理論の方を優れていると考える態度もあってか、フーリエはオーウェンへの批判的見解を強めて、一八二九年に『産業的協同社会的新世界』を刊行するに至るのである。

†フーリエの葛藤

フーリエは膨大な分量の文章を書いた人である。

一八〇八年の『四運動および一般運命の理論』、一八二二年の『家庭的農業的協同体概論』、そして一八二九年の『産業的協同社会的新世界』のいずれもが大作である。これらの著作に目をとおすと、頭の中になんらかの膨大なイメージが湧き出し、その言語化の前にまた別の膨大なイメージが湧き出してきてしまい、そのうちに収拾がつかなくなってしまう……というフーリエの人物像が感じられる。

そもそもフーリエは宇宙のようなもっと高い次元からものごとを俯瞰的に観察したいと考えていたようであり、サン＝シモンのように目の前で発生している細かいトピックごとにものを言おうとする人ではなかった。こういう思考によって全体的な人類と世界についての構想を描こうとするのだから、簡単には原稿を終えられないだろう。

ところで、フーリエは著作を執筆するにあたって一つの問題を抱えていた。すでに言及したように、フーリエにも少数の読者がつくようになっていた。そのような読者の協力もあって、一八二二年に『家庭的農業的協同体概論』は刊行された。しかし、フーリエの下に集い始めた読者は、「ファランジュ」の構想を社会改革に寄与するものであると捉える一方で、四運動と一般運命の理論といった発想に興味を示さなかった。そして、彼らはフーリエに対して、つぎの著作の刊行に協力するかわりに、四運動と一般運命の理論といった発想について書かないように要求したのである。

結局、フーリエは彼らの協力の申し出を断ったうえで、一八二六年一月にはパリで商人の生活に戻って生計を立てながら、つぎの著作を準備し始めた。他の人よりももっと高い次元からものごとを俯瞰的に観察し、世界と人類について把握できるという自分への自信を失ってはいなかったのだろう。

その一方で、読者が自分の下に集い始めたにもかかわらず、自分と読者の間に意識のズレが存在しているという事実を前にして、フーリエが大きな葛藤を抱えていたのは想像に難くない。

このような葛藤の中で、フーリエがついに『産業的協同社会的新世界』という大作を刊行した一八二九年、まさにフランスは本格的な産業革命の開始直前にあった。

フランスにおいても、産業を中心とした社会がほとんどはっきりと目の前に出現していたのであり、資本家と労働者、あるいは富裕層と貧困層の格差がそれまで以上に拡大していることを誰もが感じていただろう。

フランス革命によって封建的身分秩序が解体されたといっても、結局は人間に資本家と労働者という身分が存在するという事態をどのように改善するかについては大きな問題だったわけで、ドーヴァー海峡の北のイギリスにいるオーウェンなどは完全平等な協同体を構想するようになっていく。

その一方で、ドーヴァー海峡の南のフランスにいるフーリエはむしろ多様性をともなった協同体を構想する点で、単純な完全平等を否定するのである。『産業的協同社会的新世界』でのフーリエのオーウェン批判は非常に厳しい。

「オーウェンは協同社会を実現するどころか、まるで逆のことをしているではないか。しかも、協同体の概念への信用を汚そうともする方法論である。さらに、博愛家を名乗っているものの、投機のためにやっているだけだろう」

会話体でまとめてみると、このようになる。とにかく厳しい批判である。

†フーリエと協同体、そしてファランジュの構想

オーウェンの労働協同村への批判を踏まえながら、『産業的協同社会的新世界』によって発展した「ファランジュ」の構想について見ていこう。すでに前作の『家庭的農業的協同体概論』の中で、「ファランジュ」の中に設置される生活空間としての「ファランステール」についての説明が登場していたのだが、『産業的協同社会的新世界』の中では挿絵とともに「ファランステール」がより明快に語られる。なお、「ファランステール」とは、「ファランジュ」に修道院を意味する「モナステール」を組み合わせた造語である。

一六〇頁の図6のとおり、オーウェンの労働協同村の建物は四角形の回廊型であるが、フーリエはこのような単調な建物を避けるべきだと考える。そこで、フーリエは大規模なファランステールとして図7のような建物を構想する。それぞれの区画については図7か

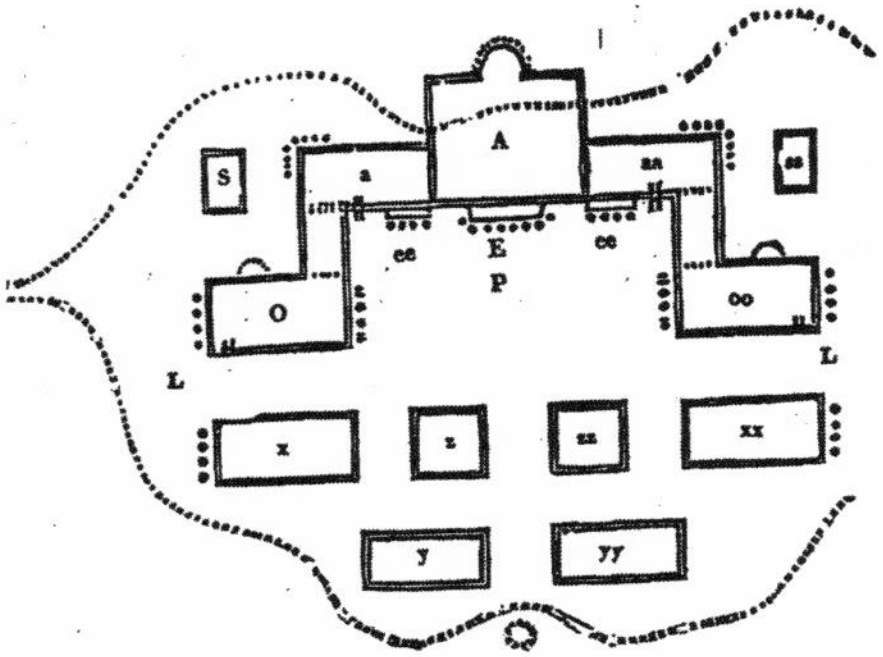

LとLを結ぶ線で生活空間と労働空間を基本的に区分する。
P広場の幅＝200トワーズ、正面全体の幅＝360トワーズ（1トワーズ＝約1.949メートル）。
Oとooには鍛冶場や子どもの学校などを設置。騒音を出す空間を生活空間から引き離すためである。

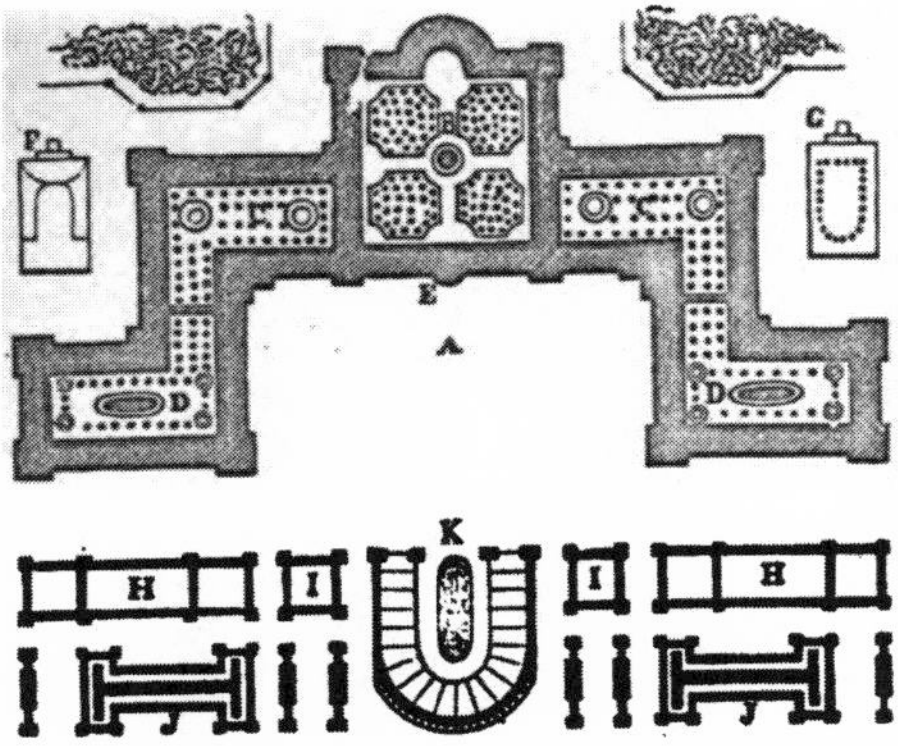

A　パレードの広場　　B　温室庭園　　CとD　中庭　　E　正面玄関
F　劇場　　G　教会　　HとI　大きな作業場、倉庫、穀物倉庫、納屋など
J　厩舎、農業小屋　　K　家禽小屋

図7　大規模ファランステール（Fourier, 1845）

ら確認していただきたい。このような建物の配置によって、生活空間と労働空間が可能な限り分離される。

二一世紀の今日でもそうであるように、いやむしろ一九世紀においてはもっとひどかったはずだが、実際の都市では生活空間と労働空間がまぜこぜになっていて、人びとの生活環境は必ずしもよいとは言えない。「ファランジュ」では、生活空間と労働空間が可能な限り分離されるのだから、人びとの生活環境が改善されるに違いない。

もちろん、オーウェンの労働協同村の構想でも生活空間と労働空間が分離されていたが、生活空間の中にも子どもの学校のように騒音を出すものと出さないものなどの違いがあるため、フーリエはそれらをまぜこぜにしてしまわないように四角形の建物ではなく、図7のように分散された建物の配置を構想する。

また、生活空間の方の建物のうち、二階には建物を取り囲むように回廊式廊下が設置されているため、人びとがそれぞれの部屋と公共施設の間を移動する際に交流できる。

さらに、『家庭的農業的協同体概論』の中で、フーリエは平等を協同体の活力を奪うものと見なしてオーウェンを批判したように、「ファランジュ」におけるメンバーの競争心や自負心とともに多様性を重視しており、この姿勢は『産業的協同社会的新世界』でも一貫している。

二一世紀の今日、多様性が非常に重視されるようになったが、われわれは長らく多様性を協同体の維持にとっての阻害要因として見なしてきたのではなかろうか。しかし、フーリエによればなんらかの情念や能力の多様性があればあるほど、メンバーが引きつけ合って全体の調和が生まれるという。多様性が生み出すダイナミズム、そして多様なもの同士の間に発生する情念引力という発想は最初の著作『四運動および一般運命の理論』から一貫している。

さまざまな人間が存在するのが社会というものである。また、さまざまな人間が存在するからこそ、人間同士で興味関心を持ち合ったり、惹かれ合ったりするのだろうし、活力もまた生まれるだろう。必ずしも対立だけが発生するわけではない。逆に機械のような似かよった人間だけが存在している世界については、あまり想像したくはないものである。

さて、このような多様性を受けて、フーリエは居住用の部屋を富裕層の高価な部屋と貧困層の安価な部屋に区別する一方で、それぞれの部屋を乖離させるのではなく、交互に並列的に置くことを提案する。「諸階層は区別しなければならない。しかし孤立させてはならない」と書くように、富裕層と貧困層のそれぞれの居住空間を乖離させると、必ず貧困層の居住空間が低い評価を受けてしまい、彼らの自尊心が傷つけられるからだという。

実際の都市においても、社会階層ごとの乖離が社会の調和ではなく分断を引き起こしている。社会が分断されることで、階層間には理解ではなく、不信感が生じる。しかし、社会のありのままの現実を前にして、階層間に絶対的な差異があることを認識したとしても、人びとは社会の中で協同しながら生きているのであり、生きなければならないのである。

資本家のような富裕層からその他の階層、そして貧困層というように、フーリエは社会的立場の階層性を当然のものとして受け入れる。私有財産を否定して資本主義を全面的に断罪するというわけではないのである。

そうだとすれば、フーリエの「ファランジュ」の構想とは、社会のありのままの現実を引き受けながらも、階層間の差異を強制的に消滅させるのではなく、階層間の融和を実現することを目指すものだったと言えよう。そして、すでに確認したように、このような意識はリヨンにおける激しい階層間の対立を経験したことによって生み出されたのである。

†サン＝シモンの寓話

人びとの間に階層の差があるとはいっても、サン＝シモンによれば王侯貴族がいくら死んでも誰も困らない。

ちょうどヨーロッパ各地で社会不安が顕在化していた一八一九年一一月、サン＝シモンは『組織者』という著書を刊行するにあたって、『組織者の抜粋』というパンフレットも発行し、そこに当時の社会の矛盾を暴露するために「寓話」と呼ばれる文章を書いた。寓話の内容を一言で説明するなら、冒頭のとおり、王侯貴族がいくら死んでも誰も困らない、ということになる。

「フランスがつぎのような人たちを突然失うと仮定しよう。一流の物理学者五〇人、一流の科学者五〇人……要するにフランスの一流の科学者、芸術家、アルチザンを合わせて三〇〇〇人、フランスが突然失ったと仮定しよう。

これらの人びとはもっとも本質的に生産的なフランス人であり……真にフランス社会の精華である。……フランス国民は今日彼らの競争相手となっている諸国民に対してたちまち劣等な状態に落ち込むであろう。……

もう一つ別の仮定に移ろう。……王弟殿下（後のシャルル一〇世）、アングレーム公爵、ベリー公爵、オルレアン公爵、ブルボン公爵……を同じ日に失うという不幸にあったとしよう。……（中略）……国家にとって何の政治的支障も生じないだろう」

王侯貴族がいくら死んでも誰も困らないにもかかわらず、そのような圧倒的少数の「無為徒食」の王侯貴族が社会を我がものにする状態について、サン＝シモンは「逆立ちした世界」と呼んだ。

サン＝シモンがこのような「寓話」を書いた翌年二月、王弟アルトワ伯爵の次男であるベリー公爵（一七七八〜一八二〇年）が暗殺された。国王ルイ一八世に子どもがおらず、その弟であるアルトワ伯爵の二人の息子のうち、長男であるアングレーム公爵（一七七五〜一八四四年）にも子どもがいなかった一方で、ベリー公爵夫人が妊娠中であった。そのような状況において、犯人はブルボン王家の血を絶やそうと、ベリー公爵を暗殺したのである。

その後、女児が生まれればブルボン王家は断絶となるところだったが、男児であるボルドー公爵（一八二〇〜八三年）が生まれたことで、ブルボン王家はなんとか血をつなぐことができた。とはいえ、長じてシャンボール伯爵を名乗ったボルドー公爵に子どもがいなかったことで、ブルボン王家はやがて断絶することになる。

このような状況下において、サン＝シモンは不敬の罪で逮捕され、裁判にかけられた。また、ベリー公爵暗殺事件を利用する形で、極右王党派がルイ一八世に圧力を強めて、自由主義勢力の弾圧に乗り出しており、これに反発する自由主義勢力の反体制活動も活発化していた。

そうであっても、サン＝シモンは自由主義勢力とともに反体制を掲げて具体的に行動しようとはしなかった。あくまでも産業発展史観を基礎とした漸進的な社会改革を志向して、産業的道徳のあり方について探究を深めようとしたのである。

†サン＝シモンと協同体、そして新しいキリスト教

このような「寓話」を書いた後、一八二一年に刊行した『産業体制論』のエピグラフとして、サン＝シモンは突然に「神は言った。汝ら互いに愛し合い、助け合え、と」と記述するに至った。

使徒パウロによれば、神がイエス＝キリストにこのように伝えたのだという。サン＝シモンにとっては、旧来のキリスト教には科学的に誤った部分が数多くあるものの、イエスに伝えられた言葉のように真理を突いた部分もある。そして、一八二五年四月に刊行されたサン＝シモンの最後の著作『新キリスト教』によれば、キリスト教の権威が失墜した一九世紀においても、産業体制を担う産業者はこうした教えを理解するとともに、貧困層の

境遇の改善を目指しながら、社会の一体性を守らなければならないという。

著作シリーズ『産業』のうち、「第三巻」での「天上の道徳」から「地上の道徳」への移行の必要性を中心とした宗教批判を踏まえると、『産業体制論』の執筆によってサン＝シモンが思想を変えたように見えてしまう。しかし、そういうことではないのである。サン＝シモンは『産業』の中で旧来のキリスト教を批判して、労働と他者とのコミュニケーションの中で生まれる道徳の重要性を主張する一方で、〝小さな政府〟を志向するように、人間の営みと理性的判断を信用できないものと見なしてきた。人間の営みと理性的判断が信用できないのであれば、労働と他者とのコミュニケーションによって生まれる「地上の道徳」は、人間同士の関係を調整するには不十分となってしまう。そうであるなら、すでに指摘したように、このような「地上の道徳」に正しさを与えてくれるような人間を超えるなんらかのものが必要になるのである。

そこで、サン＝シモンは「神は言った。汝ら互いに愛し合い、助け合え、と」というイエスの言葉を援用する。労働と他者とのコミュニケーションをとおして、他者と助け合って、やがて愛し合うことで生まれる「地上の道徳」という構想が、「神は言った。汝ら互いに愛し合い、助け合え、と」というイエスの言葉に合致するものだからである。

結局のところ、旧来の宗教は、神という絶対的なものの存在のおかげで人間をしたがわせることができたわけであって、たとえ旧来のキリスト教の権威が失墜した時代であっても、人間は天上になにか絶対的な存在があると思うからこそ、他人を大事にしようというような思いに達するのではないか、とサン＝シモンは考えるのである。そのようなイエスに伝えられた言葉の絶対性に比べて、人間の理性とは極めて不確かだろう。

一方、自然科学の議論や観察方法は人間による探究と発見によって発展していくものの、人間が存在しようがしまいが、自然そのものは時間や空間を超えて普遍・不変である。人類が滅亡しようとも、地球が存在し続ける以上、万有引力の法則が変化することはありえない。これに対して、人間精神の知的進歩と科学の発展の結果、旧来のキリスト教がその権威を失ったように、人間の心は移ろいやすく、理性によって判断できることには不確かさが残ってしまう。科学は確かだが、人間は科学をまとっても確かにならないのである。だからこそ、サン＝シモンは「神」そのものに向かうわけではないが、人間の思考に正しさを与えてくれる絶対性を帯びたものとして、さきほどのように「汝ら互いに愛し合い、助け合え」という教えを援用する。

自然科学によって、旧来のキリスト教による世界の説明から間違いを削ぎ落としていったとしても、サン＝シモンの考えでは「汝ら互いに愛し合い、助け合え」という教えだけは絶対的なものとして存在するのではないかという。こうして、サン＝シモンは最後の著書『新キリスト教』において、これまでの産業的道徳を「新しいキリスト教」と呼ぶことで、「汝ら互いに愛し合い、助け合え」という教えによって補強した。

産業活動の中で、人間が自らの利益を考えるものだとしても、労働することで生まれる他者とのコミュニケーションをとおして、社会全体の利益を考慮するという道徳に到達する。このようにして到達した道徳について、人間は神からイエス＝キリストに伝えられた「汝ら互いに愛し合い、助け合え」という教えをもってさらに納得するのである。

しかも、サン＝シモンによれば、「汝ら互いに愛し合い、助け合え」という教えはキリスト教に限らず、ありとあらゆる宗教に共通するものであって、このような教えを基礎とした「新しいキリスト教」はありとあらゆる宗教を超越して、労働するという共通性を持ったすべての人間を包摂するものだという。一種の「人類教」の樹立が目指されている。「新しいキリスト教」という道徳を強調しながら、他者の境遇に思いを馳せよと訴えるとともに、資本家と労働者の融和を求めるという態度は、モアのいう「どこにも存在しない場所」の話にすぎないのであろうか。

さて、一八二五年五月、サン＝シモンは六四歳で死去した。

このころすでにサン＝シモンを慕う人びとによって、サン＝シモン派やサン＝シモン主義者と呼ばれる一大グループが形成されており、彼の思想は後世に受け継がれていく。

とはいえ、サン＝シモンの晩年を支えたバルテルミー＝プロスペル・アンファンタン（一七九六～一八六四年）を中心として、サン＝シモンのさまざまな思想のうち、ことさらに「新しいキリスト教」という宗教思想が強調される中で、サン＝シモン派は秘密結社的な様相を呈していった。そして、このような宗教思想に魅せられた若者たちは浮世離れした共同生活を送るようになった。

しかし、一八三二年夏に、公序良俗に反するという理由で、共同生活を送る若者たちが官憲によって摘発されたことをきっかけにして、組織としてのサン＝シモン派は壊滅に追い込まれた。サン＝シモン思想を信奉する若者たちは、否応なしに共同生活から現実の社会に戻らざるをえなくなったが、もともと学歴を持っていたり、企業家の家庭出身だったりしたこともあって、やがてフランスの政治・経済を支える人材となっていく。そして、彼らによってサン＝シモンの産業についての思想が強調されるとともに、活発な産業活動が展開されることで、サン＝シモン派は再生されていくのである。

†フランス産業革命の開始

サン＝シモン派の壊滅と再生が見られた一八三〇年代以降、フランスは本格的な産業革命に突入した。その大きな要因とは、一八三〇年七月に勃発した七月革命と七月王政の成立、そして産業の担い手である資本家による権力奪取であった。

フランス革命から約四〇年が経過して、イギリスでもフランスでも産業発展が続く中で、資本家層の台頭は著しかった。富を持った資本家層にとって旧体制以来の封建貴族層とは自分たちの行動を縛りつける軛《くびき》のようなものであり、彼らはこれを排除することによって自由な経済活動を実現しようと望んだ。

フランスでは、こうして発生した七月革命による復古王政の解体と資本家の権力奪取の後、産業革命が進展するものの、経済活動を支えているのは無数の労働者であった。

軛を断った資本家が自由に経済活動を展開できるようになっただけでなく、国政を牛耳ることで自分たちの利益のために国家財政をも利用して、さらなる経済発展を準備できるようになったことは事実である。しかし、労働者こそが低賃金に苦しみながら長時間にわたって労働したからこそ、大規模な産業発展が実現したのである。

国政を牛耳る資本家に対して、長時間労働と低賃金に苦しむ労働者。資本家と労働者の融和は一向に進んでいかず、封建的身分秩序の崩壊にかわって、資本家と労働者という新しい身分秩序が固定化されてしまったかのようであった。こうして、サン＝シモン派の若者たちは、資本家と労働者の融和を主張するだけでなく、実際の政治の中で実現するために、七月王政にかわる政治体制の樹立と権力奪取を目指すことになる。

また、サン＝シモン派の若者たちの中には、アンファンタンとは袂を分かって、協同村の設立を構想するフーリエに接近するものもいた。一八三〇年代の本格的な産業革命の発生を前にして、すでに資本家と労働者の貧富の格差が拡大していた中で、両者の融和や貧富の格差の解消を志向する人びとにとって、フーリエによる「ファランジュ」の構想は魅力的に感じられたのである。

このような中で、一八三二年にはフランスでフーリエの「ファランジュ」思想を取り扱う雑誌『ル・ファランステール』が刊行された。そして、フーリエの思想に共鳴するフーリエ主義者のことが「ファランステリアン」と呼ばれるようにもなっていった。

長らく少数の読者以外には無視され続けたフーリエも、徐々に支持者を獲得することができたわけである。とはいえ、フーリエ自身は四運動と一般運命の理論といった壮大なテーマに対する興味を持ち続けており、フーリエとファランステリアンの意識の違いは如何ともし難かった。ある日、講演会に招かれたフーリエが本来の興味にしたがって壮大なテーマについて主張したところ、「ファランジュ」についての話を期待していた参加者が仰天したということもあったという。

一八三七年一〇月、フーリエは六五歳で死去した。自分とファランステリアンの意識の違いという現実に嫌気がさしたのか、彼らを遠ざけるかのように孤独な晩年を過ごしていたという。その一方で、ファランステリアンはフランス各地で「ファランジュ」の実現を試みた。たとえば、フランス北部の田舎町ギーズでは、実業家ジャン＝バティスト・アンドレ・ゴダン（一八一七〜八八年）が一八五九年から八四年にかけて図8のような「ファミリステール・ドゥ・ギーズ」と呼ばれる労働者の住居を建設した。本書一八五頁の図7と見比べると、「ファミリステール・ドゥ・ギーズ」の建物の配置とフーリエの構想がそっくりであることがわかるだろう。

図8　ジャン＝バティスト・アンドレ・ゴダンが建設した労働者の住居、Familistère de Guise（Familistère de Guise 公式サイトより）

第四章

成長する資本主義の下で

――出現した社会の問い直し

1848年4月に開かれた、選挙権を求めるチャーチスト運動の集会
ウィリアム・バーンズ・ウォーレンによる
The life and times of Queen Victoria 挿絵、1900年

1　資本主義社会の矛盾

†理想の実験としてのニューハーモニー

一八二〇年代に時間を戻してみよう。

一八二四年秋、オーウェンは労働協同村「ニューハーモニー」の建設準備で大忙しであった。

いつかはその理想を実現するための労働協同村を建設したいと考え、準備を進めてきたものの、こんなに早く実現することができるとは予想していなかった。それくらいうまいタイミングでオーウェンにチャンスが転がり込んできたのである。一八二四年八月に仲介者をとおして、ジョージ・ラップ（一七五七〜一八四七年）という宗教者がすでに建物のある村とそこに隣接する二〇〇〇エーカーの土地を居抜きで売ってくれると言ってきたのだから。その村は彼の宗教団体の名前から「ハーモニー」と呼ばれていた。

とはいえ、「ハーモニー」があるのはオーウェンの祖国イギリスではなかった。遠く離れた大西洋の向こう、アメリカ合衆国インディアナ州であった。

ドイツ出身の宗教者であるラップは一八〇三年にアメリカに移り住んだ後、宗教団体の村として「ハーモニー」をペンシルヴェニア州に作った。そして、村を一度はインディアナ州に移転したものの、再びペンシルヴェニア州に移転しようとして、インディアナ州の村を売りに出すことになった。こうして、オーウェンはラップから村を買い取ることを決め、一八二五年一月には労働協同村としての新しいハーモニー、つまり「ニューハーモニー」の建設に取りかかった。

オーウェンの祖国イギリスにおいて、労働協同村の建設が実際に試みられなかったわけではない。社会主義者と呼ばれている人びとのうち、本書に登場する初期の人びとの周囲には、市井において経営などにたずさわる人材が集っていた。そのような人材だからこそ、理想の実現を試みるということであろうし、実現するための資金力や人脈を持っているということでもあろう。そこで、ロンドン近郊やラナーク州で労働協同村の設立実験が行われたのだが、それらはオーウェンの構想と必ずしも合致するものではなかった。そして、結局のところどちらもが失敗に終わってしまった。

さて、『工場労働貧民救済協会委員会への報告』の中で、オーウェンは協同村の建物の周囲の土地の広さとして一〇〇〇～一五〇〇エーカーを想定していたわけで、ラップの村ではこの広さが十分に満たされていた。しかも、オーウェンは村の建設費用として四六万九〇〇〇ドルを想定していたのに対して、ラップの村は一五万ドルと安く、それどころかすでに必要な建物を用意できていた。二五万ドルの資産を持つオーウェンにとってはまったく申し分のない状況であった。

こうして、オーウェンはラップの村を出発点として「ニューハーモニー」の建設を開始すると、思いがけず一八二五年二月二五日と三月七日の二回にわたって、アメリカ連邦議会で演説することになった。それは、アメリカ合衆国史においては初めての〝社会主義的ヴィジョン〟の表明とされる出来事であった。

アメリカといえば、イデオロギー闘争喧しい東西冷戦期において西側諸国を指導し続けたように、自他ともに認める資本主義陣営の盟主の地位にあり、二一世紀の現在においてなお国際的な資本主義体制の頂点に君臨する立場にある。それよりもはるか昔のアメリカでのことだとはいえ、オーウェンは議会での演説をとおして労働協同村の構想を表明した。しかも、この演説で財産の私的所有を基礎とする資本主義社会にかわって、財産共有を基礎とする協同社会を建設することを宣言したのである。

それまでも、オーウェンはニュー・ラナークにおいて労働者の財産の平等を意識して住居を整備したり、一八一七年の『工場労働貧民救済協会委員会への報告』においては産業革命以前の世界を理想化するように労働協同村を構想したり、はたまた一八二一年の『ラナーク州への報告』においては貨幣よりも労働を重んじるべきであるとして「価値尺度の変更」について提案したり、あるいは農業中心の労働協同村の構想を発展させたりと、資本主義を乗り越えようとする立場をとってきた。企業家として工場経営にたずさわるだけでなく、実際に各地の工場の悲惨な状況を目にしてきたオーウェンにとって、資本主義とは財産を持たない労働者の貧困を生み出す根本原因でしかなかった。それゆえ、『ラナーク州への報告』での構想を踏まえながら、ついにアメリカにおいて実際に労働協同村の建設を進めることができるようになったとき、資本主義の基礎である私有財産制度の廃止を、つまり資本主義とは異なる社会の実現を目指すのは当然であった。

サン＝シモンにおいて、新しいキリスト教という地上の道徳は自由な産業活動の中で生まれるものであり、そのような道徳の下での資本家と労働者の融和が志向される。フーリエにおいては、資本家から労働者まで、さまざまな多様性が協同体に活力を与えるものとして扱われる。どちらにおいても資本主義が否定されているわけではない。その一方で、資本主義を基礎とした社会では、能力も運もある人が成功して財産を所有し、そうでない人は貧困にあえぐことになる。

二一世紀の今日、資本主義の否定は社会主義に対する中心的なイメージとなっているだろう。しかし、オーウェンとは違ってサン＝シモンとフーリエには資本主義の否定という思想は存在しないと言ってよい。このような点からも、本書の冒頭で言及したような社会主義の多義性が理解可能かと思われる。

†ニューハーモニーの失敗

一八二五年一月に労働協同村の建設が始まった後、八〇〇人の人びとがオーウェンの下に集ったという。そして、四月にオーウェンが開村を宣言し、翌月には「ニューハーモニー」準備社会の憲法が採択された。共有財産を持った独立した協同村の建設を目指し、そのメンバーに最大限の幸福をもたらすことを宣言するものであった。

オーウェンは資本主義を乗り越えた新しい協同社会の実現のために、ますます意気揚々と労働協同村の建設および運営を進めていった。しかし、準備社会の憲法が採択されてからちょうど二年後の一八二七年五月、オーウェンは村人たちに対して実験の失敗を告げることになる。

そもそもオーウェンが「ニューハーモニー」の構想を公表した時点で、風向きは怪しくなり始めていた。

「ニューハーモニー」開村後、オーウェンがしばらくアメリカを離れてイギリスに帰ることになったため、まだまだ若い次男ウィリアム（一八〇二〜四二年）などが、明確な方針を持たないままに村の運営を進めなければならなくなり、当然のように大混乱が生じた。

その後、オーウェンは一八二五年一一月にアメリカに戻ってくると、「アメリカの地質学の父」と呼ばれるウィリアム・マクルア（一七六三〜一八四〇年）といった有能な人びとを勧誘しながら旅を続け、年明けて一月にようやく労働協同村にたどり着いた。そして、二月には財産の共有や人びとの平等を宣言する新憲法が制定された。村や生産を管理する組織が設立され、村の運営が軌道に乗るように見えた。

ところが、やはりさまざまな問題が噴出し始めたのである。それはオーウェンのもともとの構想と現実の間の大きな違いによるものと言えた。

すでに紹介したように、オーウェンは労働協同村の生活空間として四角形の回廊型の建物の建設を想定していたにもかかわらず、手持ちの資金との兼ね合いからラップの村を居抜きで購入した。ラップの村では、普通の村のようにさまざまな形状の建物が立ち並んでいるだけである。フーリエの「ファランステール」のような建物があるわけでもない。

そもそも構想を実現するといっても、すべてを一気に進められるわけではないため、ものごとの優先順位をつける必要がある。オーウェンは労働協同村の実現を優先することで、手持ちの資金で購入できる条件のよいものに飛びついた。ラップの村の中でオーウェンの構想に合うものといえば、土地の広さだけだったと言ってよいだろう。

このような状況の中で、まずは住居不足が発生した。オーウェンが最初に集まった八〇〇人を選抜せずに受け入れてしまったからである。これもすでに紹介したように、オーウェンは労働協同村の人口を平均して一〇〇〇人と考えていたため、最初に集まった八〇〇人という人数を自らの構想に合致していると判断したのだろうか、選抜せずにすべて受け入れてしまったものの、ラップの村には八〇〇人全員を収容するに十分な数の住居がなかった。

しかも、決して少ないとは言えない八〇〇人もの人間が村人となったにもかかわらず、生活するために必要な物資を作り出せる職人たちが不足していたことから、やがて物資不足も発生した。労働協同村に実体を与えるはずの生産活動がほとんど停止すると、必要なものを生産するよりも消費するほうが早くなってしまう。土地と建物という労働協同村があって、人数さえ揃えばなんとかなるというものではなかった。

また、財産の共有といっても、労働協同村はオーウェンの私有財産であった。このような矛盾を解消するには、村人たちが労働協同村の土地を購入するしかない。しかし、村人たちにとってそのための費用捻出は大きな負担でしかなく、一部の人びとが土地を購入できただけだった。一部の人びとが私有しているのだから、労働協同村は財産の共有を実現したことにならない。

そして、平等な労働のためには各人が平等な時間だけ働き、平等に作業を分担する必要があるため、労務管理を徹底しなければならないものの、各人の特性を無視した画一的な分担は強制労働にもなってしまい、人びとの不満を強めた。さらに、選抜もなしに受け入れられた八〇〇人の中には、オーウェンの理念を理解しようともしなければ、仕事をしようともしないものもいた。

最終的には、マクルアからの提案を受けて「ニューハーモニー」を組織し直したが、オーウェンは自らの権限の下で独裁的に村を運営するしかないと考え始め、一八二六年一〇

図9　現在も残る「ニュー・ハーモニー」の建物（LegendsOfAmerica.com）

月にはそのような考えに基づいて「ニューハーモニー」の新しい運営方針を成立させた。もちろん、マクルアをはじめとして、オーウエンのやり方に不満を持つ人びとが数多く存在しており、人びとの分裂は必至の状態となっていた。

しかし、オーウェンには、自分の考え方が間違っていたとは思えなかったのだろう。人びとを説得し、人びとに労働協同村の理念を定着させるための努力が足りなかったのではないか……。そのように自分に言い聞かせながら、なんとか自分を納得させていたように思われるのである。

自分の理想や目標を信じて疑わないオーウエンは、とにかく他者と折り合いをつけるのではなく、他者を説得しなければならないとも、他者を説得できるとも考えてしまう。しかも、他者を説得できていない中でも、これまでの成功を背景にして自分の理想や目標にますます頑なになってしまう。このようにして、周囲との乖離が生み出される。

そして、教育のあり方などもめぐって、オーウェンとマクルアのすれ違いは大きくなっていき、最終的には両者の間でラップに支払う代金をめぐって紛争が発生した結果、一八二七年五月にオーウェンは労働協同村の理念の定着に希望を託すという内容の演説を行った後、七月にイギリスに帰国してしまったのである。

†フランス七月革命と資本家による権力奪取という現実

オーウェンによる労働協同村実現に向けての準備が続いていたころ、フランスでは一八二四年九月にルイ一八世が死去すると、極右王党派のリーダーである王弟アルトワ伯爵がシャルル一〇世として即位した。フランス革命前の旧体制の復活を目指してきたシャルル一〇世は、革命によって財産を没収された封建貴族への補償といった反動的政策を推し進め、平民を中心として体制への大きな不満を引き起こした。

また、一八二七年から農作物不作によって主食であるパンを中心に商品価格が上昇し、都市の商工業者や労働者の生活が悪化するだけでなく、小規模農民は農作物不作に苦しみ、資本家層は物価上昇による購買力低下に悩んでいた。こうして不満を持った平民が抗議活動を続ける中で、シャルル一〇世は議会の解散、出版の自由の停止、大土地所有層を中心とした最富裕層に選挙権を制限する選挙法改正などを決定した。これに対して、一八三〇年七月には平民が蜂起することで、ついにフランス七月革命が勃発したのである。

資本家にとって、封建貴族を中心とした反動的体制は経済活動に不自由さをもたらす害悪でしかなく、選挙権も経済的利益も奪いかねない存在であった。真に自由な経済活動を展開するには、反動的体制は打倒されるべきだった。

労働者を含む大多数の平民たちはフランス革命を経験して、政治的な意識に目覚めるようになっており、復古王政下での不平等な制限選挙制度にも経済的不平等にも納得していなかった。

しかし、このような大多数の平民が武器を持って活躍したにもかかわらず、資本家はかつてのフランス革命でのサン・キュロットと呼ばれる貧困層の傍若無人ぶりを恐れたことなどもあって、共和政や大多数の平民の政治参加を阻止しようと、自由主義的なオルレアン公爵ルイ＝フィリップを担ぎ出し、七月王政（オルレアン王朝）の成立を主導してしまうのである。しかも、新しい国王となったルイ＝フィリップ（在位一八三〇～四八年）は「フランスの王」ではなく「フランス人の王」を名乗ったとはいえ、選挙権をフランス人全体ではなく、納税額に基づいて資本家といった富裕層に限定してしまった。

七月王政期のフランスの人口が三三〇〇万人程度だったのに対して、有権者はわずか二〇万人程度だったように、極めて少数の選挙権を持った資本家にとってのみ有利な政策が運営されていくことになったのである。普通選挙が実現しない中で、大多数の平民はあいかわらず政治から排除されたままとなった。

さて、七月王政が始動すると、国外では積極的な海外進出政策が採用された。シャルル一〇世が国民の目を海外に向けようと、一八三〇年から北アフリカ・アルジェリアの植民地化を推進していたため、ルイ＝フィリップもこれを引き継いでアルジェリアを併合した。さらには、イギリスに対抗しながらフランス植民地帝国の建設が推進されたことで、やがてフランス本国を中心とする独占的経済圏が出現することになる。

国内では、資本家主導の七月王政政府の積極的な産業政策によって産業革命が進展する中で、各地に鉄道路線が建設され、新しい産業の発展が産業革命をますます促進していった。そして、資本家には莫大な利益がもたらされた。

その一方で、平民の大多数を占める貧困層の生活は悲惨なままだった。七月革命でどんなに活躍したとしても、政治参加から排除されてしまったことで、自分たちの境遇を改善させるための手段を持つことはできなかった。

しかも、あいかわらず続く農作物不作が食料事情の悪化と全面的な物価上昇をもたらして、平民の生活が困窮しただけでなく、一八三二年にはコレラが大流行したために、もともと不衛生な環境での日常生活を強いられていた貧困層を中心にして、首都パリだけで二万人近い死者が出たのである。

このような状況の中で、一八三一年一一月から翌月にかけてリヨンで絹織物職人たちの暴動が発生した。さらに、翌年六月にナポレオン一世麾下の軍人として民衆から人気のあったラマルク将軍（一七七〇～一八三二年）が死去すると、その葬儀をきっかけとして共和政支持者などによる六月暴動が発生した。ラマルク将軍は復古王政と七月王政に反対していたこともあって、自由の象徴のような存在となっていたのである。

政府は六月暴動を鎮圧して革命の発生を防止したものの、資本家と労働者という新しい身分秩序はフランス革命以降の歴史の展開の矛盾でしかなく、矛盾を解消しようという思想の登場がつぎの革命の発生を予感させた。

†イギリスの選挙法改正

フランスで七月革命が勃発して、新しく七月王政が成立した後も、あいかわらず不徹底な政治改革を前にして労働者を中心とした平民の不満が高まったように、イギリスでも不平等な制限選挙制度の改革が強く要求されていた。イギリスが議会制民主主義の伝統を持つとはいっても、そのような伝統の恩恵を受けられるのは、限られた人びとだけだったのである。

また、オーウェンやフーリエがどんなに協同村について構想したとしても、あるいはサン＝シモンがどんなに資本家と労働者の融和を説いたとしても、労働者の境遇が真の意味で改善されるためには、その代表者たちの国政参加を実現するための選挙法改正と議会改革が必要となるのは言うまでもないだろう。

フランスで七月革命が勃発したころのイギリス（イングランド・ウェールズ）の人口が一三九〇万人程度だったのに対して、有権者は四三万五〇〇〇人と極めて少ないままとなっていた。しかも、産業革命の進展の中で、各地の人口分布が大規模に変化しているにもかかわらず、議席配分が変更されないことによって、非常に少数の有権者しかいない選挙区が存在する一方で、マンチェスターやバーミンガムといった産業革命で発展する新興の都市はほとんど議員を選出できないなど、不公平な状況が存在していた。

このような少数の有権者しかいない選挙区については、元首相ウィリアム・ピット（大ピット。在任一七六六〜六八年）によって「国家体制の腐敗した部分」と表現されたことから、腐敗選挙区と呼ばれるほどであった。

不公正さを是正するためには、産業革命以降の人口増加によって発展する都市に議席を配分し、選挙権を新興の資本家に拡大していく必要があるとして、都市を基盤とするホイッグ党が選挙法改正を掲げた。ところが、貴族や地主層など地方の支持を受けるトーリー党がこれに反対して、選挙法改正はなかなか進まなかったのである。

とはいえ、産業革命で成長した新興の資本家と労働者こそが富を生み出す中心であり、納税の面からも国家を支えているため、彼らへの選挙権付与は待ったなしの状況となっていた。こうして、一八三二年六月にようやく選挙法が改正されたことで、選挙権は新興の資本家などに一気に拡大され、有権者は六五万二〇〇〇人に増加した。また、腐敗選挙区の廃止と人口の増加する新興の都市などへの議席の再配分が実施された。

その一方で、有権者資格に財産制限が残されたことで、労働者を含む大多数の平民はやはり選挙権を持てないまま政治参加から排除された。一八三二年選挙法は不平等なままとなったのである。とはいえ、富を生み出す産業を支えるのは労働者なのであって、労働者を主体として再度の選挙法改正と普通選挙の実現を求める声が高まっていくことになる。

†オーウェンから隔たっていく現実社会の動き

オーウェンと社会の間に少しずつ溝ができてしまっていた。しかも、溝は埋めることの難しい深いものになっていく。オーウェンが選挙権拡大に消極的だったからである。選挙法改正に尽力した人びとの中には、オーウェンの思想に共鳴するようなまさにオーウェン主義者が数多く存在していたにもかかわらず、である。

オーウェンは、労働者の意識を変えなければ選挙法を改正しても意味がないと考えていた。労働環境と毎日の生活環境を改善することで、労働者の性格そのものを改善していくこと、これこそがオーウェンの信念であった。無事に選挙法が改正されて普通選挙が実現されたとしても、教育もまともに受けていなければ、自由についても権利についても考えたこともない労働者が政治に主体的に参加するのは無理であろう。

サン＝シモンもまたこのような考え方を持っていた。フランス革命期の恐怖政治を経験したことで、サン＝シモンは革命家などに煽られる平民たちというものを不安視し、制限選挙制度を支持したのである。

両者ともに社会の改革を重視するものの、その急進化を拒絶しようとする。あくまでも人びとの知識の状態をゆっくりと成長させながら、社会を一歩ずつ改革していこうと考えるからである。しかし、労働者を中心とした平民の教育状態が完全に望ましいレベルに達したことを、誰がいつ、どのように判断するのだろうか。そもそも何をもって望ましいレベルを定義するのだろうか。

いずれにしても、労働者の意識を変えなければならないと思うのであれば、自分自身で彼らの意識向上を促せばいいだけではないか……。このように考えたオーウェンは労働者の組織化と意識向上、労働者同士の連帯と協同を目指して、一八三四年二月に全国労働組合大連合（グランド・ナショナル）の結成を主導した。

イギリスでは一七九九年に団結禁止法が制定されて以降、労働者の団結や組合結成が禁止されることで、労使対立が抑止されようとした。しかし、労使対立が激しさを増す中で、存在意義を失った団結禁止法が一八二四年に廃止されると、労働組合の結成が進んでいった。そして、労働者の境遇の改善の実行によって名声を得ていたオーウェンは、このような労働組合を大同団結させることに成功したわけである。これをきっかけとして、イギリスの労働運動が盛んとなり、グランド・ナショナルの組合員数は結成からたったの二カ月で合計一〇〇万人に到達したという。

危機感を覚えた政府と資本家はグランド・ナショナルを弾圧した。さらに、オーウェンが労働者の意識改革や資本家と労働者の融和を重視する一方で、オーウェン派の人びとも含めて労働組合の指導者たちがストライキなどをとおして政府や資本家との闘争を選択するという運動方針をめぐる対立が発生したことで、グランド・ナショナルは一八三四年末までに消滅してしまう。

労働協同村の構想においても、労働者を中心とした人びとの連帯と協同のために労働組合を結成するという構想においても、オーウェンが重視するものは協同組合であった。協同組合とは、個別的には弱い労働者などが連帯して協同することで、その地位を強化し改善するという構想に基づいて組織するものである。そして、協同組合は民主主義的に運営され、その中ではさまざまな格差が排除される。また、オーウェンは単なる労働者の連帯と協同ではなく、最終的には資本家も含めたすべての人びとによる協同体の創出を目指すのである。

しかし、オーウェン派の人びとであっても、労働組合の指導者たちは労働者の地位を強化し改善するために、政府や資本家に対してストライキなどの闘争を選び、再度の選挙法改正と普通選挙の導入による政治改革を目指そうとする。彼らにとって、オーウェンの平等の考え方には賛同できても、やり方については理想主義であるとしか思えなかったようである。

また、政府はグランド・ナショナルへの弾圧に加えて、貧困にあえぐ労働者の救済を拒むかのように、一八三四年八月に新救貧法の制定を断行した。一六〇一年の救貧法（エリザベス救貧法）を改正することで、本当に困窮している労働者以外は救済しないという原則にもとづいて救貧費用を抑制し、労働能力を持つものに労働を強制したのである。

新救貧法は人口学者であるトマス＝ロバート・マルサス（一七六六〜一八三四年）の思想を基礎にしていた。マルサスによれば、人口は抑制しない限り生存に不可欠な食料よりも早く増加するという。それならば、困窮する労働者を救済しなければ、自然と人口増大は抑制され、困窮する人口も増大しないだろう、と政治家たちは考えていた。

このような中で、労働組合の指導者たちはますます政府や資本家と闘争しようとする。たとえば、一八三六年六月にはオーウェン派の労働組合の指導者などが主導してロンドン労働者協会が設立されると、不平等で腐敗した議会の合法的な改革と平等な社会の実現のために普通選挙を要求し、労働者の結集を呼びかけたのである。

2　資本主義の否定か、資本主義の中での改革か

†社会主義という言葉の誕生

イギリスで選挙法が改正される直前の一八三二年二月一三日、フランスのサン＝シモン主義者であるルルーらが運営する『ル・グローブ』紙の記事に「社会主義」という言葉が登場した。その後、イギリスでグランド・ナショナルが結成された一八三四年、ルルーは『個人主義と社会主義』という論文を発表した。

ルルーの考えでは、社会主義は個人に社会にしたがうことを要求する点で、それぞれの自由を抑圧する一方で、個人主義もまた個人の自由を優先することによって、それぞれを孤立させせることで社会を解体するとともに貧富の格差や不平等を生み出すという。それで

は、個人が自由を謳歌しながら、他者を含めた社会をその思考と行動の中心に据えて、平等の実現などを目指すようになるには、どうしたらよいだろうか。ルルーにはこのような問題意識があったと思われる。

そして、ルルーによる社会主義という言葉の使用をきっかけとして、フランス政治の中で社会主義はルルーの問題意識に基づくかのように、自由な個人と社会の両立を目指すものとして、ポジティヴな意味で理解されるようになる。一八三〇年代に本格的に始まった産業革命によって、資本家と労働者の貧富の格差が拡大して、社会が常に動揺する中で、これを変革するための指針を一言で表すはっきりとした言葉が必要とされていたからである。こうしたわかりやすい言葉があることで、人びとは目指すべき理想を認識することができるのである。また、ルルー自身も社会主義者と呼ばれる中で、社会主義を自由、平等、博愛、あるいは調和のいずれも犠牲にしないものとして捉えるようになる。

フランスでの動きと並行して、イギリスではオーウェン派によって、貧富の格差の解消や人びとの平等を目指すオーウェン主義の言いかえとして、社会主義が使用されたという。その後、資本家と労働者の融和に加えて、立場の差異を超えた人びとの協同を重視するオーウェンはそうした理想の実現のために、グランド・ナショナルの消滅後の一八三五年五月に全国民全階級協会を結成すると、参加者との議論の中で社会主義という言葉を使用するようになった。なお、実際に協同体の設立を目指して、一八三七年六月には全国協同体友愛組合も結成した。

そして、「はじめに」で紹介したように、レイボーが一八四〇年に『現代の改革者、あるいは近代的社会主義者の研究』を刊行し、そのサブタイトルにサン＝シモンとオーウェンの名前とともに、同じように資本家と労働者の融和や協同村の建設について探究したフーリエの名前をはっきりと記したのである。

さて、これまで見てきたように、オーウェンは資本主義の基礎としての私有財産制度を否定しつつ、すべての平等な人びとによる協同体の建設を思考していた。フーリエは資本主義の解体を志向してはいなかったが、その構想による「ファランジュ」は資本家から労働者まで、さまざまな人びとの多様性を包摂する協同体であった。こうした人びとの連帯と協同という思想が「空想的社会主義」と呼ばれてきた初期社会主義者においては強調される。また、サン＝シモンも資本主義という枠組みの中で、「新しいキリスト教」による資本家と労働者の融和を志向した。これも人びとの連帯と協同を求める姿勢である。

こうした「反体制のための闘争よりも、立場を超えた連帯と協同」という視点は、誰かを敵と認定して社会を分断させるという態度を排除し、ありのままの社会を受け入れて一体化させるという姿勢を堅持することにつながる。

サン＝シモン、オーウェン、フーリエという三者は、資本主義に対する姿勢の違いなど、具体的にはそれぞれの違いを見せる一方で、前述のような姿勢を共通して堅持していた。そのように考えると、「社会」という存在をその思考と行動において念頭に置きながら、三者それぞれの境遇や立場から社会の安定を実現しようとする姿勢こそが、やはり彼らの「社会主義」というものの共通性であると言ってよいだろう。このような社会主義はルルーの問題意識にも、本書の「はじめに」に記述した社会主義の最低限の定義にも合致する。

ところで、サン＝シモンもオーウェンも、そしてフーリエも、自らの優れた構想によって新しい「社会」を構築するとともに、貧困にあえぐ労働者を導いていこうと考えることによって、どうしても管理主義（パターナリズム）的な態度に、あるいは〝上から目線〟的な態度に陥ってしまう。

しかし、イギリスにおいてもフランスにおいても、労働者の側では資本家も含めたすべての人びとの連帯と協同よりも、むしろ戦闘的なストライキによる資本家との闘争が志向されるようになる。こうして、社会主義はサン＝シモン、オーウェン、フーリエから離れ、新たな展開を見せていくのである。

†チャーチスト運動と路線対立

一八三七年五月からロンドン労働者協会と議会の急進的議員が議会への法案提出をめぐって合意を形成し、翌年五月には『人民憲章』を発表するに至った。

これは「成人男子選挙権」、「秘密投票」、「毎年の選挙と一年任期の議会」、「財産資格の廃止」、「議員への歳費支給」、「有権者数に基づく選挙区の平等」の六項目からなる憲章であった。その後、『人民憲章』を議会に提出するための国民請願と呼ばれる署名活動が開始されたことで、「憲章（Charter）」を語源とした「チャーチスト運動（Chartism）」がついに始動したのである。

ただし、一口に普通選挙を目指すチャーチスト運動といっても、運動の方針をめぐる路線の違いがあり、将来の混乱が予想された。あくまでも合法的な方法で運動を推進しながら労働者を啓発し、世論を味方につけて法律改正を目指すという理性派に対して、ストライキや武装闘争さえも選択して改革を実現しようとする暴力派が存在したのである。

また、チャーチスト運動に参加する人びとの中には、中産階級から熟練労働者、不熟練労働者、さらに下層民に至るまで、さまざまな立場が存在しており、それぞれが目指しているものもさまざまだった。たとえば、昔ながらの技術で生きる職工や熟練労働者ととくに技術を持たない平凡な工場労働者では、それぞれの要求するものが食い違ってしまう。

それゆえ、資本主義社会の中において労働者の境遇の改善を目指そうとする人びとが存在する一方で、資本主義そのものを、そして資本主義社会を基盤とした議会制度そのものを否定する人びとも存在した。

そのような資本主義を否定するようになる人物として、ジョージ＝ジュリアン・ハーニー（一八一七〜九七年）がいる。下層労働者を結集してロンドン民主主義者協会を設立した人物で、やがてマルクスやエンゲルスと交流を持つことになる。

さて、国民請願によって集められた署名は一二八万もあり、一八三九年六月には議会に提出された。ところが、国民請願はあっけなく庶民院で否決されてしまったのである。

議会の対応を受けて、全国各地で抗議活動が展開され、ウェールズのニューポートでは大規模な暴動が発生し、鎮圧によって死傷者が出た。そして、指導者層の逮捕も続き、最初の国民請願は失敗に終わった。

その一方で、どんなにチャーチスト運動が盛りあがろうとも、オーウェンは選挙権よりも貧困層を中心とした労働者たちへの啓蒙を優先するべきであると考えていた。

オーウェンは一八三八年に「社会宣教師」を各地に派遣することによって全国民全階級協会を拡大させていった。また、一九三九年五月には全国民全階級協会と全国協同体友愛組合を合同して、合理的宗教者の万国協同体協会を結成した。労働組合やチャーチスト運動とは距離を置き、独自に活動することを選択したのである。

宣教師という表現といい、宗教者という表現といい、オーウェンは人びとに立場の差異を超えて助け合って連帯・協同するべきことを説こうとする。そして、やがてはかつてのサン＝シモンのように、人びとを教え導くための新しい合理的宗教を打ち立てるという構想を持つようになっていく。さらには、心霊主義にも傾倒するようにもなる。

すでに紹介したように、オーウェンは子どものころから宗教に疑いの目を向けてきた。しかし、現実の社会との隔たりに直面し続けるとともに、老年期に到達することで、オーウェンは徐々に生まれてきた心の隙間をなんらかのものへの信仰によって埋め合わせようとしたのかもしれない。

ただし、オーウェンが政府や資本家との闘争に対して否定的な姿勢を堅持し続けたとはいっても、その活動によって意識を喚起された人びとがチャーチスト運動の担い手になったのは事実である。最初の国民請願の失敗から約一年後の一八四〇年七月に全国憲章協会が設立されるなど、すぐに二度目の国民請願が模索された。そして、一八四二年五月には三三二万人の署名が提出された。とはいえ、やはり庶民院での否決によって二度目の国民請願も失敗に終わってしまった。

†イギリスにおける労働者階級の状態

一八四二年八月、ランカシャー州のプレストンなどで賃金削減に反対する労働者によって、プラグ・プロット（点火栓抜き暴動）と呼ばれる大規模なストライキが発生した。それは工場の蒸気機関のプラグを引き抜いて工場の操業を妨害するというもので、まるでかつてのラッダイト運動のような暴動でもあった。

イギリスがこのような状況にあった同年一一月、フリードリヒ・エンゲルスがマンチェスターにやってきた。工場主である父親がエンゲルスを紡績工場の経営に従事させようとしたのである。

一八二〇年一一月、プロイセン領のドイツ西部バルメン（現在のヴッパータールの一部）で、エンゲルスは裕福な紡績工場経営者の息子として生まれた。バルメンは一八世紀末から産業発展を経験し、現代においてはルール工業地帯と呼ばれる工業地域の一部を構成している。このような工業都市で、エンゲルスはやがて家業を継ぐために準備することになった。その後、一八四一年九月ごろに兵役でベルリンに移住したころから徹底的に勉強を進め、一年後に兵役を終了した後、故郷からマンチェスターに向かう途中でカール・マルクスに初めて出会ったという。

図11　マルクスの肖像画（1840年頃）

図10　エンゲルスの肖像画（1840〜59年頃）

マルクスもまたプロイセン領のドイツ西部トリーアで、一八一八年五月に裕福なユダヤ人弁護士の息子として生まれた。一八三五年一〇月に同じドイツ西部にあるボン大学に進学したが、翌年にはドイツ東部の首都ベルリンにあるベルリン大学に転校し、これを卒業した後の一八四二年五月にドイツ西部で民主主義の実現を訴える『ライン新聞』に寄稿するようになり、一〇月にはその編集長となった。

いずれにしても、世界最大の産業国家としてのイギリスを支える工業都市マンチェスターの現実は、エンゲルスに対して資本主義社会の現実を強く認識させるものとなった。

エンゲルスは仕事の合間に労働者のスラムを訪れ、彼らの悲惨な日常生活を観察した。そして、目の前で展開されるチャーチスト運動に興味を持って、さまざまな集会に出かけていった。そのような生活の中で、一八四三年にさきほど登場したハーニーに出会った。

このときのハーニーは「人民憲章」採択による民主主義実現という政治改革とそれによる社会変革を志向していた。しかし、エンゲルスはむしろ現状の体制の中で社会の矛盾を解消しようという態度を否定するようになる。なぜならば、イギリスが直面している問題について、エンゲルスは資本主義という経済構造から生まれるものと捉えたからである。

エンゲルスは週末になるとロンドンなど各地に出かけ、労働者を調査して社会の実態を把握することで、オーウェンのように私有財産制度の存在を資本主義の病理としての貧困の原因と見なすようになった。資本主義がそもそもの問題なのであるから、資本主義社会の中で民主主義的な議会をとおして改革を進めても、困窮する労働者は救済できないということになろう。

このような社会調査の結果として、一八四五年にエンゲルスは著書『イギリスにおける労働者階級の状態』を刊行することになる。そして、全面的な体制変革と労働者の救済のために、その道筋を学問的にさらに探究していくのであった。

†共産党宣言

エンゲルスがマンチェスターで働き始めたころ、プロイセンでは政府の検閲が強まっていた。こうして、一八四三年三月に『ライン新聞』が廃刊となったため、マルクスはパリに移住して『独仏年誌』の刊行にかかわることになった。その後、一八四四年二月に刊行された『独仏年誌』の創刊号には、エンゲルスの論文『国民経済学批判大綱』が掲載されていた。

『国民経済学批判大綱』は、私有財産制度に立脚した資本主義を支えるスミス以来の古典派経済学を批判するという内容で、マルクスに感銘をもたらしたという。そして、エンゲルスの論文をきっかけにしてマルクスは経済学の研究を開始する。

このような形で両者が学問上の交流を持ち、やがて本格的な協同作業を始めたことで、「史的唯物論（唯物史観）」が生まれることになる。

それまで歴史を探究して、今という時代やその後の展開を把握しようとするとき、フリードリヒ・ヘーゲル（一七七〇〜一八三一年）の歴史観が大きな影響力を持ってきた。ヘーゲルによれば、歴史とは人間の精神的営みから生じる葛藤、人間の理性による葛藤の克服、それによって精神の自由を実現する過程である。歴史の中には進歩の必然性が内在しているため、歴史の展開の法則性は弁証法という哲学によって把握できるという。

マルクスとエンゲルスにとって、進歩の内在的な必然性については理解できた。しかし、精神の自由の実現という点については、観念的なイデオロギーに他ならないのではないかと思われた。むしろ両者は「意識が生活を規定するのではなく、生活が意識を規定する」のではないかと考えながら、現実に生きる人間の行動に注目し、その中でもとくに人間の生活を支える必要物の生産活動を重視したのである。

こうして生まれた史的唯物論によれば、歴史の流れの中で生産力が進歩して人びとの生産様式が変化すると、それにふさわしい政治や文化が生まれるという。日本でもよく耳にする〝下部構造（経済）が上部構造（哲学・宗教・政治）を規定する〟という理論である。しかも、政治や文化は社会構造を強く擁護するようになる。ところが、さまざまな矛盾が蓄積されていくことで、ついには革命が発生して新しい生産様式が生まれるという。

そうだとすれば、一九世紀においては工場制機械工業を持った資本主義がさらに生産力を高めていけば、富を一方的に独占する資本家に対して困窮する労働者という矛盾が資本主義に蓄積されることで、最終的には革命によって資本主義（下部構造）が変化しなければならなくなるだけでなく、現状の議会制度（上部構造）もまた変化させられるということになろう。

ただし、マルクスとエンゲルスにとって、資本主義はすべての矛盾を生み出すものとして解体されなければならないが、資本主義の成熟がなければ革命は発生しないことから、まずは資本主義の発展が必要とされる。資本主義の発展と成熟の先にこそ、新しい生産様式としての労働者による協同を基礎とした「共産主義（communism）」が出現するのである。

さて、一八四八年二月、マルクスとエンゲルスは『共産党宣言』を刊行した。「今日まであらゆる社会の歴史は、階級闘争の歴史である」という文章から第一章が始まる『共産党宣言』は、現状の資本家（ブルジョワジー）によって支配された資本主義の形成過程を確認しながら、資本主義の帰結によってもたらされるものを明示する。資本主義の発展の結果、資本家による政治支配が確立し、労働者（プロレタリアート）を抑圧するようになると、資本家と労働者の階級闘争は激化し、最終的には労働者の勝利によって革命が成功して、資本主義の時代は終焉する……。

だからこそ、マルクスとエンゲルスは「万国の労働者よ、団結せよ！」と呼びかけるのである。そして、サン＝シモン、オーウェン、フーリエの思想や行動を「空想的」と見なし、三者の系譜に位置する人びとの行動を階級闘争ではなく階級間の調停を目指すものとして批判的に捉える。このような「空想的」という評価については、やがてエンゲルスによってより明確化されることになる。

一八四八年二月、まさにヨーロッパ中で革命の嵐が吹き乱れる時代、そして「諸国民の春」と呼ばれるようになる時代のことであった。

3　空想から科学へ

†吹き荒れすぎなかった革命の嵐

一八四五年ごろから、ヨーロッパは大飢饉に見舞われていた。このころの貧困層の主食であったジャガイモが不作となったからである。しかも、産業革命の進展によって貧富の格差が拡大する中で、食料価格が高騰したことから、飢えに苦しむ人びとによる暴動が多発した。

しかし、七月王政下のフランスでは、資本家と労働者の間の貧富の格差が拡大するだけでなく、すでに触れたように納税額に基づく制限選挙制度によって豊かな資本家のみが選挙権を保持して権力を独占し、自分たちにとって都合のよい政治を遂行していた。労働者を含む平民たちの不満は高まるばかりだった。

そんな状況下の一八四八年一月、イタリア南部とシチリア島からなる両シチリア王国においてシチリア島の自治と憲法制定の要求からシチリア革命が勃発すると、革命の影響がフランスにも波及し、翌月にはフランス二月革命が勃発したのである。

一八三〇年の七月革命以来続いた七月王政は崩壊し、臨時政府は王政ではなく共和政（第二共和政）の樹立を宣言した。そして、このような臨時政府には、サン＝シモンやオーウェンの影響を受けたルイ・ブラン（一八一一〜八二年）のような社会主義者も参加することになった。

フランスでの革命は周辺諸国家に波及し、オーストリアとプロイセンでも三月革命を発生させた。オーストリアでは、ウィーン体制の指導者だったメッテルニヒ首相がイギリスへの亡命に追い込まれたことで、ナポレオン戦争終結以来のウィーン体制が崩壊した。また、プロイセンでは、国王が言論の自由や結社の自由を認めるとともに、自由主義的な内閣とプロイセン国民議会が発足して、新憲法の草案が発表された。オーストリアやプロイセンなどに長らく分裂してきたドイツの統一をめぐる機運も高まった。

ところで、マルクスとエンゲルスはフランス二月革命をはじめとして、オーストリアとプロイセンでの三月革命など、諸国家での革命の動きに期待していた。すでに紹介した両者の階級闘争についての考え方においては、一八四八年の諸国家の革命が完遂して、各国で旧来の封建的身分秩序が終焉し、資本家を中心とした体制が実現することで、資本主義が発展して成熟していけば、そのような中で激化する資本家と労働者の階級闘争の末に、労働者による権力奪取というプロレタリア革命が可能になるのである。これは二段階革命論と呼ばれる革命の学問的な見取り図である。

ところが、フランス二月革命の勢いは長くは続かなかった。

労働者を中心とした革命であったことから、フランス臨時政府は労働者の生存を保障することを約束し、ブランの指導の下で失業者を救済する国営企業としての「国立作業場」

や、労働条件の改善や労使紛争の解決を目指す「リュクサンブール委員会」が設置された。さらに、男子普通選挙がようやく採用されたことで、有権者は七月王政末期の二五万人から一気に九〇〇万人に拡大した。

そのような中で、一八四八年四月に総選挙が実施されたところ、資本家や王統派を含む保守勢力の候補が多数当選し、社会主義勢力が一気に衰退してしまった。この要因としては革命の急進化を恐れる資本家や保守勢力の巻き返しに加えて、農民層の革命からの離反も挙げられる。つまり、一部の社会主義者によって掲げられた反私有財産制度の思想が、農民層にとっては土地を奪われるものと理解されたのである。

新しく成立した政府が労働者らのデモの過激化を抑えるだけでなく、六月に国家財政の赤字を引き起こした国立作業場の閉鎖を決定した結果、資本家と労働者の対立は激化していった。そして、政府の動きに怒る労働者らはパリ市内の各地にバリケードを築いて再び革命に打って出たものの、政府によって砲弾を撃ち込まれて徹底的に撃退された。労働者側の死者数は三〇〇〇人とも四〇〇〇人とも言われる。このような六月蜂起の失敗をきっかけにして、二月革命は終息していった。

オーストリアでもプロイセンでも三月革命はエネルギーを欠いており、フランス二月革命と同じように終息していった。産業発展が進んでいたとはいっても、資本家が革命の急進化を嫌って体制側に接近するなど未成熟で、労働者層の形成も不十分だったからである。その一方で、革命勢力は事態に前のめりで行動しようとしていたが、やはり政府によって鎮圧されていった。

その後、革命の動きを鎮圧するプロイセン政府から逃れるために、一八四九年中にマルクスもエンゲルスも大陸からイギリスに渡らざるをえなくなった。そして、エンゲルスはマンチェスターで家業に復帰し、財政的にマルクスの執筆活動を支援することになった。

このようなイギリスでもフランス二月革命の影響によってチャーチスト運動が再び盛りあがり、三回目の国民請願が始まったものの、一八四八年四月に集計された署名は目標数に遠くおよばなかった。しかも、三回目の国民請願が失敗に終わるどころか、政府による弾圧の中でチャーチスト運動自体がついには崩壊したのである。

†馬上のサン＝シモン

フランスでは、六月蜂起が失敗に終わったことで二月革命が終息していったとはいえ、一八三〇年代からの本格的な産業革命によって労働者層の形成が進んでいたため、革命の新たな展開が見られる可能性はあった。にもかかわらず、そのような流れに完全にとどめを刺したとして、マルクスとエンゲルスが徹底的に嫌った人物こそ、シャルル・ルイ＝ナポレオン・ボナパルト、つまり後のフランス皇帝ナポレオン三世（在位一八五二〜七〇年）であった。

ナポレオン三世ことルイ＝ナポレオンはサン＝シモン主義者を名乗る人物であり、オーウェンやフーリエの思想にも傾倒していた。サン＝シモン思想の影響を受けて『貧困の根絶』（一八四四年）という労働者保護政策の必要性を訴える著書を残したくらいなのである。

このようなルイ＝ナポレオンは、一八四八年一二月にフランス第二共和政の大統領に就任した。その後、大統領の再選禁止を規定する憲法の改正案が議会で否決されたことをきっかけにして、ルイ＝ナポレオンは長期政権を樹立することで自らの理想を実現するためにクーデターを成功させた結果、一八五二年一月には新憲法を制定し、一二月にナポレオン三世として皇帝に即位した。

偉大なる伯父ナポレオン一世の威光を受けた帝政復活によって、ナポレオン三世が資本家から労働者まで、国民各層のほとんどを支持基盤として掌握することで、フランスで革命が勃発する可能性はなくなった。そして、フランス史において二月革命以後に革命は勃発しておらず、一七八九年の革命以来続いた市民革命の時代がついに終焉したのである。

さて、ちょうどルイ＝ナポレオンが議会選挙を実施して反対派を一掃したころ、一八五二年五月にマルクスは『ルイ＝ボナパルトのブリュメール一八日』を発表した。階級闘争史観を基礎にしながら二月革命以後の過程を分析して、ルイ＝ナポレオンの権力掌握に至る原因を読み解いた著作である。

「ヘーゲルはどこかで言った。あらゆる偉大な歴史的事実と歴史的人物は二度現れると。彼はこうつけ加えるのを忘れた。最初は悲劇として、二度目は茶番として」という冒頭の文章のように、マルクスは伯父ナポレオン一世によるブリュメール一八日のクーデターと甥ルイ＝ナポレオンのクーデターを比較しながら、伯父と甥によって生み出された歴史の皮肉について語ろうとする。

マルクスの考えによれば、一七八九年からのフランス革命と一八四八年の二月革命のどちらにおいても、革命と反革命という階級闘争が激化した結果、伯父も甥もクーデターによって権力を奪取するとともに、革命を崩壊させることになったという。両者の歴史的役割は同じということになる。

ただし、ルイ＝ナポレオンは伯父のブリュメール一八日のクーデターと同じような歴史的役割を果たしたというだけでなく、二月革命の歴史的な意義さえも葬り去り、再度の革命の可能性を抑え込んでしまったのである。一八四八年の革命に期待したマルクスにとって、ルイ＝ナポレオンは許されざる人物であった。とはいえ、ルイ＝ナポレオンにおける資本家と労働者の融和や、革命の防止という構想は、まさにサン＝シモンの手になるものであると言えた。

図12　「馬上のサン＝シモン」と称された、ナポレオン３世の肖像画（1856年、シャルル＝エドゥアール・ブーティボンヌ画）

こうして始まったナポレオン三世の第二帝政においては、上からの強力な政策運営によって産業振興がはかられて、経済発展が実現しただけでなく、オルレアン旧王家の没収財産を元手にして労働者保護政策が推進されるなど、その境遇の改善が強く目指された。また、サン＝シモン主義者であるナポレオン三世の政策運営には、同じサン＝シモン主義者の政治家や経済人、思想家などが大きく関与していた。

このようにサン＝シモン思想の実現を目指したナポレオン三世は、「馬上のサン＝シモン」とも表現されている。第二帝政とは、サン＝シモンが皇帝となって馬上から下々を見下ろしているような政治体制だったというわけである。

さらに、ナポレオン三世は一八五〇年代の「権威帝政」と呼ばれる時期には言論の自由を弾圧するなど、強権的に振る舞ったものの、一八六〇年代の「自由帝政」と呼ばれる時期には、さまざまな自由主義的改革を推進した。

第二帝政は、フランスにとって経済的繁栄期にあたるというだけでなく、その後の民主主義の確立に向けた準備期間となった。

†とはいえ資本主義が問題であること

ナポレオン三世の帝政が「権威帝政」から「自由帝政」に移ろうとするころ、故郷に戻っていたオーウェンは一八五八年一一月に八七歳で死去した。

これまでの内容を踏まえるなら、サン＝シモン、オーウェン、フーリエの三人の中で、オーウェンこそがその後の社会主義の方向性に、つまりマルクスとエンゲルスによって生み出される流れにもっとも影響を与えたと言ってよいだろう。資本主義こそを貧富の格差という矛盾の源泉と見なして、その基礎としての私有財産制度を否定する労働協同村の構想を実現しようとし、はたまたグランド・ナショナルのように労働者の大同団結を主張したのだから。

もちろん、オーウェン自身はあらゆる人びとを包摂する協同体の実現を目指したのであって、労働者の資本家に対する闘争を選ぼうとはしなかったものの、その指導によって高まった労働運動の中で、資本主義自体を変革しようという潮流が生まれるのである。

このようなオーウェンの死の翌年、マルクスは本格的な経済学書である『経済学批判』を刊行し、一八六七年にはその研究成果を『資本論』に発展させた。『資本論』によれば、資本主義の下では必ず資本家と労働者の従属・被従属という矛盾した関係性が強化されていくという。

すでに紹介したように、オーウェンも拠って立っていた古典派経済学の労働価値説によれば、資本家が労働者に賃金を支払うとき、「労働」という商品をその価値に見合った貨幣を支払うことで買っている。しかし、マルクスによれば、資本家は貨幣で支払った「労働力」の価値を回収するために必要な労働時間以上に、必ず労働時間を延長することで、超過部分としての剰余労働から生み出された剰余価値を取得するという。

このようにしてマルクスが労働価値説を批判的に検討するとき、「労働」と「労働力」を概念的に区別していることが重要である。オーウェンらは労働価値説に拠って立ちながらも、これらを区別していなかった。

ある時間内において継続する一定の目的を持った労働者の労働に対して、労働力は労働者の肉体に備わっている労働能力のことを意味する。そして、労働者の労働が生み出す価値よりも、資本家が貨幣をもって労働力に対して与えた価値の方が低いことで、絶対に剰余価値が生じるのである。

そうであっても、労働者は他の仕事という生産手段を持たないので、生きていくためには資本家から強制された剰余労働に従属しなければならなくなる。資本家と労働者の従属・被従属という矛盾した関係性が強化されていくことになる。そして、マルクスの考えによれば、このようにして資本主義が必然的に矛盾を引き起こすのだから、史的唯物論にしたがうならやがて資本主義社会が共産主義社会に移行することは必然ということになろう。

さて、『資本論』が刊行される少し前、アメリカにおける南北戦争によって綿花の供給が途絶えたことで、ヨーロッパの紡績業が大打撃を受けた。この結果、不況が到来したため、ヨーロッパ各地で労働運動が盛んになっていた。そして、労働者の国際的な連帯を望む声も強く、一八六四年九月には第一インターナショナル（国際労働者協会）の設立が決議された。

とはいえ、第一インターナショナルに参加した人びとの目指す方向性は千差万別で、議会主義を軸として現在の体制下での改革を目指す人びともいれば、マルクスとエンゲルスのように私有財産制度の廃止など共産主義的方向性を目指す人びともいた。

†空想から科学へ、社会主義の科学的確立？

ナポレオン三世は一八七〇年に勃発した隣国プロイセンとの普仏戦争で敗北した結果、退位に追い込まれた。そして、フランスに勝利したプロイセンが、オットー・フォン・ビスマルク首相（在任一八六二～九〇年）の指導の下で自由な議論ではなく軍事力を背景にして、長らく分裂してきたドイツの統一を実現した。

ビスマルクはドイツ統一前の一八六〇年代以降、労働運動指導者のフェルディナント・ラッサール（一八二五～六四年）と交流を持ち、その影響などもあって労働者の団結権保護や、世界初の社会保険制度導入といった社会政策を推進した。こうした社会政策は国民の一体性を高めることになり、結果的には国富増大のための産業発展に寄与するものにもなった。

フランスでもプロイセンでも、労働者の境遇の改善のような社会政策はナポレオン三世やビスマルクといった強権的な人物によって実現されたのである。

さて、ビスマルクと結びつくころの一八六三年五月にラッサールは全ドイツ労働者協会を結成して、労働運動を組織化しながら、体制との協調による政策の実現を目指した。一方、マルクスの影響を受けながら、一八六九年八月には社会民主労働者党が結成されて、全ドイツ労働者協会に対抗するようになった。ところが、一八六四年八月のラッサールの死去やドイツ統一後の総選挙での両党の低迷、そして政府の弾圧などによって、一八七五年五月にドイツ中部のゴータで開催された大会で、両党の合同によるドイツ社会主義労働者党の結成が決定されたのである。

マルクスはこのような動きに賛同していなかった。ドイツ社会主義労働者党の綱領であるゴータ綱領について、ラッサール的な体制との妥協的政策に偏っていると考えたからである。そこで、マルクスは『ゴータ綱領批判』を執筆してドイツ社会主義労働者党を強く批判し、あらためてこれまでのような革命戦略を提示するのだった。

ただし、さきほどのような現実の社会の動きの中で、マルクスの影響力が減退していたことは事実である。そして、ドイツ社会主義労働者党結成によって、ベルリン大学講師を務めるオイゲン・デューリング（一八三三〜一九二一年）がマルクスを敵視しながら存在感を持つようになっていたことから、影響力を減退させるマルクスを思いながら、またその協力を受けながら、エンゲルスは一八七七年から翌年にかけて『反デューリング論』を執筆するに至った。

さらに、マルクスの娘婿でフランスのジャーナリストであるポール・ラファルグ（一八四二〜一九一一年）の要請で、『反デューリング論』の内容を抜粋してまとめ、エンゲルスは一八八〇年には三つの章からなる『空想から科学へ』をこの世に送り出した。

まさに「空想的社会主義」と「科学的社会主義」という区分が明確に出現した瞬間であった。エンゲルスが友であるマルクスを助けたいという思いから原稿を執筆したことで、「空想的社会主義」と「科学的社会主義」という二つの区分が出現したとも言えよう。このような展開を踏まえると、「科学的」という表現には、マルクスとエンゲルスの自分たちこそが先端的なのだから支持されるべきであるという自負心がにじみ出ているように思われるのである。

さて、『空想から科学へ』においてもっとも気をつけなければならないこととして、エンゲルスは「空想的」だという理由を掲げてサン＝シモン、オーウェン、フーリエをバッサリと切って捨てたわけではない、ということがある。むしろ、社会主義のさきがけとしての歴史的意義を認めている。しかし、マルクスの思想に比べれば、三者とも問題を抱えていて、エンゲルスとしては批判せざるをえないというわけである。

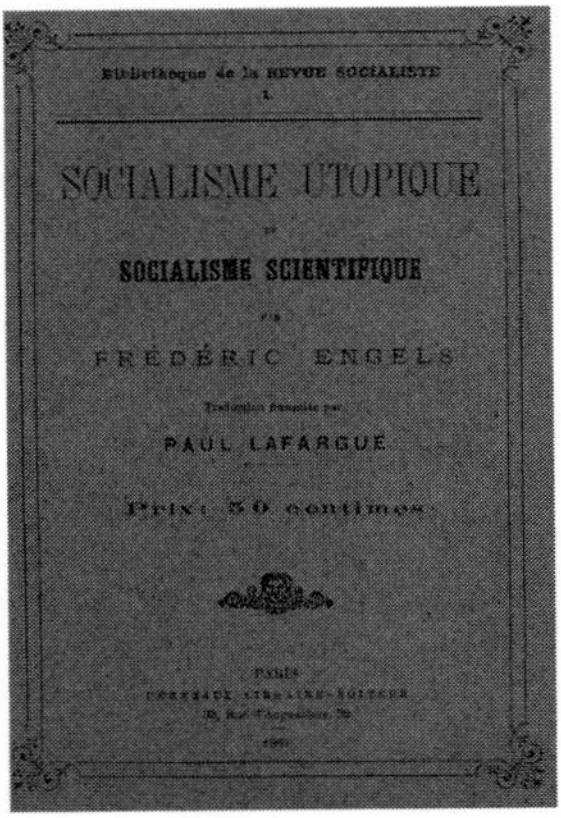
SOCIALISME UTOPIQUE
SOCIALISME SCIENTIFIQUE
FRÉDÉRIC ENGELS
PAUL LAFARGUE
Prix: 50 centimes

図13　『空想的社会主義と科学的社会主義』フランス語版の初版本（1880年）

このようなエンゲルスによってサン＝シモン、オーウェン、フーリエが空想的社会主義者として位置づけられたのは、第一章においてである。

資本主義が発展する一方で、資本家と労働者の貧富の格差や労働者の困窮という矛盾が発生すると、サン＝シモン、オーウェン、フーリエは解決策を構想した。しかし、エンゲルスによれば、三者ともに社会の理想を描き出して押しつけたにすぎないという。

結局のところ、社会を改革しようとする以上、その担い手としての労働者の主体的な行動が必要となるのは言うまでもない。その一方で、サン＝シモンが語る道徳としての新しいキリスト教にしろ、オーウェンやフーリエが構想する協同村にしろ、困窮する労働者の境遇に寄り添おうとするものではあるが、どこか管理主義（パターナリズム）的で、労働者の主体性を無視していたとは言えよう。

むしろ、エンゲルスによれば、社会の現実の中においては矛盾を解決する動きが主体的に生じていくものであって、これを科学的な手段で明確に把握できなかったところにこそ、三者の議論の限界がある。つまり、マルクスとエンゲルスが構築してきた史的唯物論や剰余価値説からは、資本主義の行方を科学的に把握できる一方で、それをできなかった三者は空想的と形容できるというわけである。

このようなエンゲルスはさらに弁証法の歴史性について議論するとともに、これまでの史的唯物論に基づく科学的社会主義の理論を展開する。エンゲルス自身の考えによれば、マルクスの業績によって資本主義の勃興、発展、衰退と社会主義の到来の必然性が科学的に論じられたことで、社会主義は科学的な理論として確立されたという。

†それでもなお……

それでもなお気をつけねばならないが、マルクスとエンゲルスによってサン＝シモン、オーウェン、フーリエの思想と行動が「空想的社会主義」として定義されるとともに、これらを乗り越える「科学的社会主義」が構築されたからといって、科学的社会主義社会実現への道程をめぐる理論とは、絶対的で確定的ななにかというわけではない。

もちろん、マルクスとエンゲルスによって資本主義をめぐる科学的な、言いかえれば学問的な議論が展開されたからこそ、二一世紀に生きるわれわれもまた資本主義の矛盾を認識することができる。ただし、そうした資本主義の矛盾を認識したからといって、資本主義そのものを終焉させるか否かという判断は、民主主義社会を担う主権者に委ねられている。必ずそうしなければならないとか、必ずそうなるべきであるとか、そういうものではない。

にもかかわらず、サン＝シモン、オーウェン、フーリエに対する「空想的」という評価が当然のものとして受け入れられることで、教科書などにも「空想的」社会主義と「科学的」社会主義という分類が掲載され続けている。現代に生きるわれわれは「空想的」と

「科学的」という社会主義の分類方法を学び、頭の中に刷り込まれ、これに疑問を抱くこともないままである。

確かにサン＝シモン、オーウェン、フーリエの構想はマルクスとエンゲルスの構想に比べれば、構築されているとは言い難い。

経営実践をとおして労働者の境遇の改善を進めるとともに、私有財産制度を基礎とした資本主義の矛盾を解消する方策として、労働協同体という理想の実現を目指したオーウェン。このようなオーウェンを批判しながら、多様性を持った人間を包摂して共生させる「ファランジュ」という名の理想社会を構想したフーリエ。はたまた自由な産業活動をとおして生まれる道徳を新しいキリスト教に昇華させたうえで、その下での資本家と労働者の融和を構想したサン＝シモン……。

いずれの人物もが、目の前に現れた新しい「社会」とそこで生じている貧富の格差といったさまざまな問題をなんとかしたいという強い思いを持っていた。ただし、そうした強い思いから生まれた構想が資本主義の矛盾を解消できるかといえば、それは決してかんたんではなかった。

とはいえ、二〇世紀におけるソ連を中心とした東側諸国での社会主義社会建設の実験と失敗を、あるいは革命という大変動によって生み出された多大な犠牲を踏まえるなら、二一世紀の現代を生きるわれわれは目の前の「社会」をなんとかしたいという強い思いを持つことによって、ひとつひとつの問題の解決を目指していくしかないだろう。破れてしまった箇所をなんとか縫い合わせた後、さらに破れてしまった別の箇所を縫い合わせるがごとく、つぎつぎに生じる問題に対して辛抱強く向き合うことで、少しでも悲惨な境遇を改善していくのである。

われわれはどんな人間であっても、社会から離れて生きていくことはできない。どんなに辛い毎日を経験した人びとでも、社会の中で生きていかなければならない。反対に成功した人びとであっても、その境遇は自分の力だけで得られたというだけでなく、社会の存在と安定の中でこそ得られたのである。

どんな人間も社会の中で生かされているわけで、そこに生きるさまざまな人びとの存在を無視していいわけはない。ましてや、「勝ち組」と「負け組」というような身分制度のような分類を安易に口にしながら、一方による一方への抑圧や搾取を仕方のないものとうそぶくようなことはあってはならないだろう。

誰もがその思想や行動において「社会」という存在を念頭に置き、悲惨な境遇の中にいる他者に寄り添おうとしなければ、やがてそうした問題が社会を分断させて大混乱に陥らせかねない。

サン＝シモン、オーウェン、フーリエはこのような問題意識を持ち合わせていたからこそ、さまざまな構想を世に送り出したのである。

さて、本書の冒頭に記述した以下の文章に立ち戻ってみたい。

社会主義（socialism）とは、「社会的なもの（social）」と「主義（ism）」という二つの単語から成立する表現であることから、まずは人びとの思想や行動において「社会（society）」という存在を念頭に置かなければならないとする原則や思想であると言ってよいだろう。

これを社会主義の最低限の定義と見なしながら、今日そのようなものであると信じ込まされている「空想的」というレッテルをサン＝シモン、オーウェン、フーリエから引き剝がすとともに、空想から科学へという考え方を絶対視することをやめてみると、「社会」という存在を思想と行動の中心に据えながら、三者のそれぞれの境遇や立場から社会の安定の実現を目指し続けた姿に気づく。

だからこそ、「はじめに」において筆者は誤解を恐れずに今日的な表現を使って、サン

＝シモン、オーウェン、フーリエのことを社会企業家、あるいは社会プランナーのような存在であると表現したのである。

そして、こうした三者だけでなく、マルクスとエンゲルスも含めて、一九世紀において新たな社会の理想像を紡ぎ出そうとした人びと、つまり社会主義という思想系譜を作りあげた人びとの試行錯誤とは、二一世紀の今日においてなおわれわれに社会の問題を認識すること、その改善を試みること、さらに新しい社会の理想像を構想することを促す。

社会主義をなんだか危険なものとして排除するのではなく、人びとの思想や行動において「社会」という存在を念頭に置かなければならないという原則や思想であると理解し直すとき、そのような態度はもちろん二一世紀のわれわれに対しても求められているものであると言えよう。

さて、最後につぎのように繰り返したい。一％の富裕層による富と利益の独占が問題視され続ける二一世紀とはいえ、今さらソ連の政治体制を復活させるわけにはいかず、あくまでも資本主義を基軸として社会をどうにかして持続させていこうとするとき、サン＝シモン、オーウェン、フーリエの社会を前にした思想と行動はわれわれにとって見習うべきでありこそすれ、無視できるものではないのである。

あとがき

筑摩書房編集者の藤岡美玲さんから、『社会主義前夜』というタイトルの下で、サン＝シモン、オーウェン、フーリエについて、それぞれの人物像にも解釈を加えながら「群像劇」を描くとともに、「空想的社会主義」とはなんだったのかを論じるという依頼を受けた後、勉強しつつ執筆を続ける中で、本当にこれが可能なのか否かについては逡巡し続けた。

一時的に発生したオーウェンとフーリエのすれちがいを除いて、三者の間にはつき合いはなかったわけで、バラバラに生きている三者を「群像劇」の形で描くのは非常に困難であろうと思われたからである。そもそも、オーウェンのイギリス、サン＝シモンとフーリエのフランスでは、歴史の展開の違いによって社会情勢も異なっていたわけで、そういう点でも三者をまとめることに厄介さを感じた。

また、サン＝シモンもオーウェンもフーリエも、いずれもが個性的な人物として、人類の歴史に膨大な遺産を残したのであり、『社会主義前夜』というタイトルの下で三者をまとめて描こうとするなら、筆者自身の解釈に基づいて書くべきことと書かざるべきことを取捨選択しなければならなくなってしまう。「新書」というものの性質上、込み入った議論を避けつつ、できるだけ単純化して話を進めようすることによっても、やはり取捨選択しなければならない。しかし、こうした取捨選択をとおして、三者の思想も行動も断片的にしか伝えることができず、彼らの魅力を低減させてしまうとすれば、なんだか申し訳ないという気分もあった。

脱稿した現在でも、筆者として書くべきであると判断したものが過不足なかったかどうかについては考えてしまうものである。

それでもなお、三者がそれぞれバラバラで生きていたとはいえ、本書の冒頭のようにヨーロッパのまったく同じ空を見ながら、イギリスにもフランスにも共通して存在した悲惨な現実をなんとかしたいという強い思いを持って思考し、行動したことで、類似する思想を現代に残したということの意味について、どのような形であっても現代の日本社会に対して紹介することは、ぜひとも必要だっただろう。必ず誰かがやらなければいけない作業だったと思われるのである。また、このような三者に対していつまでも当然のように「空想的」というレッテルが貼られたままで、それぞれの思想と行動の詳細があまり顧みられることもないという状況については、なんとかしたいものである。脱稿した現在、このことを強く感じる次第である。

ところで、参考文献一覧にはサン＝シモン、オーウェン、フーリエの著作や論文のうち、本書に登場したものを中心として、参考になった一部の研究書のみを記載しておきたい。膨大とまでは言えないが、それなりの数の研究書があるため、全部を記載しようとするとキリがないからである。引用や解説にあたっては、これらの研究書や翻訳書における訳語を参考にしつつ、原書を著者自身で訳し直した箇所もある。

いずれにしても、本書が自分の生きる社会という存在を見つめ直し、他者の境遇に思いを馳せるきっかけになれば、大変幸いである。

主要参考文献

石井洋二郎『科学から空想へ――よみがえるフーリエ』藤原書店、二〇〇九年
今村仁司『マルクス入門』ちくま新書、二〇〇五年
エンゲルス、フリードリヒ『空想より科学へ』大内兵衛訳、岩波文庫、一九六六年
エンゲルス、フリードリヒ『イギリスにおける労働者階級の状態（上・下）』一條和生、杉山忠平訳、岩波文庫、一九九〇年
エンゲルス、フリードリヒ『反デューリング論（上・下）』秋間実訳、新日本出版社、二〇〇一年
オウエン、ロバート『オウエン自叙伝』五島茂訳、岩波文庫、一九六一年
佐々木隆治『カール・マルクス――「資本主義」と闘った社会思想家』ちくま新書、二〇一六年
サン＝シモン、クロード＝アンリ・ド『サン－シモン著作集（全五巻）』森博訳、恒星社厚生閣、一九八七～八八年
ドゥブー、シモーヌ『フーリエのユートピア』今村仁司監訳、平凡社、一九九三年
中嶋洋平『サン＝シモンとは何者か――科学、産業、そしてヨーロッパ』吉田書店、二〇一八年
フーリエ、シャルル『四運動の理論（上・下）』巌谷國士訳、現代思潮新社、一九七〇年
マルクス、カール・エンゲルス、フリードリヒ『共産党宣言』大内兵衛、向坂逸郎訳、岩波文庫、

一九五一年
マルクス、カール『資本論（一～九）』向坂逸郎訳、岩波文庫、一九六九年
マルクス、カール『ルイ・ボナパルトのブリュメール18日』丘澤静也訳、講談社学術文庫、二〇二〇年
丸山武志『オウエンのユートピアと共生社会』ミネルヴァ書房、一九九九年
Fourier, Charles, *Théorie des quatre mouvements et des destinées générales: prospectus et annonce de la découverte*, Leipzig, 1808.
Fourier, Charles, *Traité de l'association domestique-agricole*, 2 vols, Paris: Bossange Père, 1822.
Fourier, Charles, *Le Nouveau monde industriel et sociétaire ou invention du procédé d'industrie attrayante et naturelle, distribuée en séries passionnées*, Paris: Bossange père, 1829.
Fourier, Charles, *Œuvres complètes*, 6 Vol., Paris: A la Librairie sociétaire, 1841–1845.
Fourier, Charles, *Œuvres complètes*, 12 volumes, Paris: Anthropos, 1966–1968.
Owen, Robert, *A New View of Society: Or, Essays on the principle of the Formation of Human Character, and the Application of the Principle to Practice*, London: Cadell and Davies, 1813.
Owen, Robert, *Observations on the Effect of the Manufacturing System*, London: Richard and Arthur Taylor, 1815.
Owen, Robert, *Report to the Committee of the Association for the Relief of the Manufacturing and Labouring Poor*, London: R. Watts, 1817.

Owen, Robert, *Report to the County of Lanark of a Plan for relieving Public Distress*, Glasgow: Glasgow University Press, 1821.

Owen, Robert, *The Selected Works of Robert Owen*, G. Claeys, ed., 4 vols. London: Pickering and Chatto, 1993.

Podmore, Frank, *Robert Owen: A Biography*, 2 Vols, New York: D. Appleton and Company, 1907.

Saint-Simon, Claude Henri de, *Œuvres choisies de C.-H. de Saint-Simon, précédées d'un essai sur sa doctrine par Charles Lemmonier*, 3 tomes, Bruxelles: F. van Meenen, 1859.

Saint-Simon, Claude Henri de, *Œuvres complètes, édition critique éditée par Juliette Grange, Pierre Musso, Philippe Régnier, Franck Yonnet*, 4 volumes, Paris: PUF, 2012.

Saint-Simon, Claude Henri de, Enfantin, Barthélemy-Prosper, *Œuvres de Saint-Simon et d'Enfantin, publiées par les membres du Conseil institué par Enfantin pour l'exécution de ses dernières volontés*, 47 Vols, Paris: Dentu, 1964.

Siméon, Ophélie, *Robert Owen's Experiment at New Lanark. From Paternalism to Socialism*, London: Palgrave Macmillan, 2017.

年表

	各国事情	サン＝シモン	オーウェン	フーリエ
一七六〇		パリで生まれる		
一七六四	ジェニー紡績機の発明（英）			
一七六五	印紙法制定（英）			
一七六九	ワットによる蒸気機関の改良（英） アークライト紡績機の発明（英） ナポレオン生まれる（仏）			
一七七一			モントゴメリーシャーで生まれる	
一七七二				ブザンソンで生まれる
一七七三	茶法制定（英）			
一七七四	ルイ一六世即位（仏）			
一七七五	アメリカ独立戦争勃発			
一七七七	ネッケル、財務長官に任命（仏）			
一七七八	フランスのアメリカ独立戦争への参戦	フランス軍に入隊する		
一七七九		アメリカ独立戦争に志願して参加する		

	各国事情	サン＝シモン	オーウェン	フーリエ
一七八一	ネッケル辞職（仏）	アメリカ本土に到着する	スタンフォードの反物商店で修業を開始する	父親を亡くす
一七八二	ギルバート法制定（英）			
一七八三	アイスランドで火山噴火 アメリカ合衆国独立			
一七八六			ニュー・ラナーク紡績工場稼働開始	
一七八八	ネッケルが財政長官に復帰（仏）			
一七八九	フランス革命（仏）		マンチェスターの反物商店で働き始める	商人の修業を積む旅に出る
			ジョーンズから共同経営の誘いを受ける	
一七九〇		貴族の爵位放棄を宣言する	このころまでに一人で紡績工場を経営し始める	
一七九一	ヴァレンヌ逃亡事件（仏）			リヨンで働き始める
一七九二	革命政府がオーストリアに宣戦布告（仏） 第一共和政成立（仏）		このころドリンクウォーターの紡績工場の支配人になる	
一七九三	ルイ一六世斬首刑、恐怖政治開始、ヴァンデの反乱（仏）	恐怖政治下で逮捕される	独立して紡績工場を経営する	

一七九四	テルミドール九日のクーデター（仏）			国民総動員令で徴兵される
一七九五	総裁政府成立（仏）			
一七九六				除隊 リヨンで再び働き始める
一七九七	第一次対仏大同盟			
一七九八	エジプト遠征開始（仏）	モンモランシー渓谷に籠もる		
一七九九	団結禁止法制定（英） ブリュメール一八日のクーデター、ナポレオンが統領政府樹立（仏）		ニュー・ラナーク紡績工場の共同経営者になる	
一八〇一	第二次対仏大同盟			
一八〇二	工場法制定（英）	『リセの協会に』		
一八〇三		『同時代人に宛てたジュネーヴの一住人の手紙』		
一八〇四	蒸気機関車の発明（英） ナポレオンが皇帝ナポレオン一世として即位（第一帝政成立）（仏）			
一八〇五	第三次対仏大同盟			
一八〇六	大陸封鎖令（仏）			

	各国事情	サン＝シモン	オーウェン	フーリエ
一八〇七	第四次対仏大同盟 イギリスへの綿花輸出を停止（米）	『一九世紀の科学研究序説』（〜一八〇八）		
一八〇八	スペイン・ポルトガルへの侵略（仏）			『四運動および一般運命の理論』
一八〇九	第五次対仏大同盟			
一八一〇		『新百科全書』	一日一〇時間労働を実施する	
一八一二	米英戦争 ロシア遠征（仏） 第六次対仏大同盟			
一八一三		『人間科学に関する覚書』 『万有引力の法則に関する研究』をナポレオン一世に送る	『社会にかんする新見解』	
一八一四	ナポレオン一世がエルバ島に追放、ルイ一八世即位（王政復古）（仏）	『ヨーロッパ社会再組織論』		
一八一五	穀物法の改正（英） ウィーン議定書を締結 ナポレオン一世がセントヘレナ島に配流、ルイ一八世復位（仏）	『一八一五年同盟に対してとるべき方策についての意見』	『工場制度の影響にかんする考察』	タリシュー村で生活を始める
一八一六		『産業』シリーズ刊行開始（〜一八一八）	「性格形成学院」誕生	

一八一七	工場労働貧民救済協会委員会の結成（英）		『工場労働貧民救済協会委員会への報告』 ロンドンで宗教を批判する演説会を実施する フランス、スイス、ドイツを旅行する	
一八一八	マルクス生まれる（普）	『産業の政治的利益』（未刊）		
一八一九	紡績工場法制定（英）	「寓話」（『組織者の抜粋』） 『組織者』	オーウェンの尽力もあって紡績工場法が制定される	
一八二〇	ジョージ四世即位（英） エンゲルス生まれる（普）	不敬罪で逮捕される		
一八二一		『産業体制論』	『ラナーク州への報告』	
一八二二				『家庭的農業的協同体概論』
一八二三		『産業者の教理問答』（本書末登場、邦訳本あり、〜一八二四）		
一八二四	団結禁止法廃止（英） ルイ一八世死去（仏）	ピエール・ルルーが『ル・グローブ』紙を創刊する		

	各国事情	サン＝シモン	オーウェン	フーリエ
一八二五		『新キリスト教』 没	ニューハーモニーの建設を開始する アメリカ連邦議会下院で二度にわたって演説する	
一八二六				パリで商人の生活に戻る
一八二七			ニューハーモニーの実験を終了させる イギリスに帰国する	
一八二九				『産業的協同社会的新世界』
一八三〇	ウィリアム四世即位（英） 七月革命と七月王政成立（仏） リバプール－マンチェスター鉄道開通（英）			
一八三二	六月暴動（仏） 第一回選挙法改正（英）			『ル・ファランステール』誌が刊行される
一八三三		『ル・グローブ』紙に「社会主義」という言葉が登場する サン＝シモン派の共同体が摘発される		

一八三四	新救貧法制定（英）	ルルー『個人主義と社会主義』	全国労働組合大連合を結成する	
一八三五			全国民全階級協会を結成する	
一八三六	ロンドン労働者協会設立（英）			
一八三七	ヴィクトリア女王即位（英）		全国協同体友愛組合を結成する	没
一八三八	『人民憲章』発表、チャーチスト運動（英）		「社会宣教師」を各地に派遣する	
一八三九			合理的宗教者の万国協同体協会を結成する	
一八四〇	レイボー『現代の改革者、あるいは近代的社会主義者の研究』 全国憲章協会設立、アヘン戦争勃発（英）			
一八四二	マルクスが『ライン新聞』の編集長就任 エンゲルスとマルクスが出会う			
一八四四	エンゲルス『国民経済学批判大綱』	ルイ＝ナポレオン『貧困の根絶』		
一八四五	エンゲルス『イギリスにおける労働者階級の状態』			

	各国事情	サン＝シモン	オーウェン	フーリエ
一八四八	マルクスとエンゲルス『共産党宣言』 二月革命(仏)、三月革命(普、墺) 六月蜂起、第二共和政成立(仏) ルイ＝ナポレオンが第二共和政大統領に就任(仏)			
一八五一	ルイ＝ナポレオンのクーデター(仏)			
一八五二	マルクス『ルイ＝ボナパルトのブリュメール一八日』 ルイ＝ナポレオンが皇帝ナポレオン三世として即位(第二帝政成立)(仏)			
一八五三	クリミア戦争			
一八五七			『自叙伝』	
一八五八	東インド会社解散(英)		没	
一八五九	マルクス『経済学批判』			このころ、ゴダンによるファミリステール建設開始
一八六二	ビスマルクがプロイセン首相就任			
一八六四	第一インターナショナル(国際労働者協会)			
一八六七	マルクス『資本論』			

一八七〇	普仏戦争 ナポレオン三世退位により第二帝政崩壊、第三共和政成立（仏）			
一八七五	ドイツ社会主義労働者党結成			
一八七七	エンゲルス『反デューリング論』（〜一八七八）			
一八八〇	エンゲルス『空想から科学へ』			
一九一七	ロシア十月革命			
一九二二	ソヴィエト社会主義共和国連邦成立			
一九四五-八九	米ソ冷戦			
一九九一	ソ連解体			

ちくま新書
1688

社会主義《しゃかいしゅぎ》前夜《ぜんや》
――サン＝シモン、オーウェン、フーリエ

二〇二二年一〇月一〇日　第一刷発行

著　者　中嶋洋平（なかしま・ようへい）

発行者　喜入冬子

発行所　株式会社　筑摩書房
東京都台東区蔵前二-五-三　郵便番号一一一-八七五五
電話番号〇三-五六八七-二六〇一（代表）

装幀者　間村俊一

印刷・製本　三松堂印刷　株式会社

ISBN978-4-480-07510-9 C0231